KAWAKAMI Hiromi

Les Années douces

**Roman traduit du japonais
par Elisabeth Suetsugu**

*Éditions
Philippe Picquier*

DU MÊME AUTEUR
AUX ÉDITIONS PHILIPPE PICQUIER

Cette lumière qui vient de la mer

La Brocante Nakano

Le temps qui va, le temps qui vient

Manazuru

Les Dix Amours de Nishino

Titre original : *Sensei no kaban*

© 2001, Kawakami Hiromi
© 2003, Editions Philippe Picquier
pour la traduction en langue française
© 2005, Editions Philippe Picquier
pour l'édition de poche

Mas de Vert
B.P. 150
13631 Arles cedex

En couverture : © Getty Images

Conception graphique : Picquier & Protière

Mise en page : Ad litteram, M.-C. Raguin – Pourrières (Var)

ISBN : 978-2-87730-765-9
ISSN : 1251-6007

La lune et les piles

En bonne et due forme, c'est le professeur Matsumoto Harutsuna, mais moi je l'appelle seulement « le maître ». Et encore sans majuscule, le maître, tout simplement.

Je l'avais eu comme prof de japonais au lycée. Ce n'était pas le professeur principal, moi en plus je ne suivais pas les cours de japonais avec une assiduité particulière, si bien qu'il ne m'était pas resté de lui d'impression notable. Après ma sortie du lycée, j'étais restée très long-temps sans le voir.

Il y a quelques années, je me suis retrouvée à côté de lui dans un petit troquet près de la gare, et depuis, nous en sommes venus à nous rencontrer de temps à autre. Il était assis au comptoir, le dos légèrement tourné.

Pendant que je m'installais au comptoir, j'ai commandé sans attendre : « Des haricots fermentés au thon, des tiges de lotus frites, et des échalotes au sel, s'il vous plaît ! » pour entendre presque simultanément le vieux dos fatigué énoncer : « Echalotes au sel, tiges de lotus frites, haricots fermentés au thon ! » Tout en me faisant la remarque que nous avions des goûts semblables, je l'ai observé tandis que lui aussi se tournait de mon côté. Alors que j'hésitais encore, à peu près certaine d'avoir déjà vu cette tête quelque part, le maître a ouvert la bouche le premier et m'a dit : « Vous êtes Omachi Tsukiko, n'est-ce pas ? » Stupéfaite, j'ai opiné de la tête. Il a continué : « Je vous ai vue ici plusieurs fois déjà, vous savez ! » Sans pouvoir détacher mes yeux de lui, j'ai murmuré une vague réponse. Cheveux blancs coiffés avec soin, chemise soigneusement repassée, gilet gris. Sur le comptoir, un flacon de saké, une assiette sur laquelle sont alignées des lamelles de baleine fumée, et un petit bol qui contient encore quelques filaments d'algues au vinaigre. Pendant que je reste confondue par la similitude de mes goûts avec ceux de ce digne vieillard, je me souviens vaguement de sa silhouette dressée sur l'estrade de la salle de classe de mon lycée.

Quand il écrivait au tableau, il gardait toujours en main l'effaceur. Il traçait par exemple à la craie : *Le soleil levant au printemps. Quelle splendeur*[1] *!* Cinq minutes ne s'étaient pas écoulées qu'il avait tout effacé. De tout le cours, qu'il écrive ou non, il ne se séparait jamais de l'effaceur. La

---

1. Citation de *Makura no sôshi*, les *Notes de chevet* de Sei Shônagon, texte du début du XIᵉ siècle.

lanière de l'objet donnait l'impression d'être collée au dos de la main gauche du maître.

« Le fait d'être une femme ne vous empêche pas de venir dans ce genre d'endroit, à ce que je vois ! » a-t-il dit en baignant délicatement la dernière fine tranche de baleine dans du miso vinaigré, qu'il a portée à sa bouche à l'aide de ses baguettes. J'ai murmuré une réponse tout en remplissant mon verre de bière. Si je me souvenais parfaitement que je l'avais eu comme prof au lycée, son nom ne me revenait pas pour autant en mémoire. A la fois admirative et reconnaissante à l'égard de celui qui se rappelait le nom d'une de ses élèves, j'ai vidé mon verre d'un trait.

« En ce temps-là, vous étiez coiffée avec une frange, n'est-ce pas ?

— Oui.

— Je vous ai remarquée ici à plusieurs reprises, et je savais que je vous connaissais…

— Ah…

— Vous devez avoir eu trente-huit ans cette année, non ?

— Tant que l'année ne s'est pas écoulée, je n'ai que trente-sept ans.

— Pardon, pardon !

— Ce n'est rien.

— J'ai vérifié sur la liste des noms, avec l'album de photos…

— Ah…

— Votre visage n'a pas changé, vous savez.

— Vous non plus, vous n'avez pas changé ! »
Pour donner le change (puisque je ne retrouvais
pas son nom), j'ai dit simplement « vous ».
Depuis ce moment, mon ancien professeur est
devenu « le maître ».

Ce soir-là, nous avons bu cinq flacons de saké
à nous deux. C'est lui qui a réglé l'addition. La
fois suivante, quand nous nous sommes retrouvés à boire dans le même troquet, c'est moi qui
ai payé. A partir de la troisième fois, nous avons
payé chacun de notre côté. Depuis, nous avons
toujours conservé le même système. Si nous
continuons à fréquenter l'endroit sans rupture,
c'est probablement que cela correspond à nos
tempéraments respectifs. Nous n'avons pas seulement les mêmes goûts pour les amuse-gueules
qui accompagnent le saké, il faut croire que
notre manière de fréquenter l'autre s'articule
aussi sur le même rythme, une correspondance
de plus. Plus de trente années nous séparent,
pourtant je me sens infiniment plus proche de lui
que de certains de mes amis qui ont le même âge
que moi.

Je suis allée plusieurs fois chez le maître. Il
arrive aussi que je l'accompagne dans un
deuxième troquet, comme nous pouvons tout
aussi bien rentrer chacun de notre côté. Parfois,
nous faisons ensemble la tournée de trois, voire
quatre endroits, mais c'est rare. Dans ce cas, la

soirée se termine la plupart du temps par un dernier verre, chez lui.

« J'habite à deux pas d'ici, venez passer un moment ! » La première fois que le maître a prononcé ces mots, je me suis sentie légèrement sur mes gardes. Je savais qu'il avait perdu sa femme. Je redoutais un peu de pénétrer dans une maison habitée par un homme seul, mais comme je suis du genre à devenir intrépide sous l'effet de l'alcool, je l'ai suivi.

Contrairement à ce que j'imaginais, c'était le fouillis. Je pensais qu'il n'y aurait aucun désordre, pas le moindre grain de poussière, mais des choses traînaient dans tous les coins. La première pièce après l'entrée, meublée d'un vieux canapé posé sur de la moquette, était plongée dans une immobilité silencieuse, mais la pièce de huit tatamis qui suivait était dans un désordre indescriptible de livres, de feuilles de papier, de journaux.

Après avoir installé une petite table basse et déniché parmi les choses entassées dans un coin une grande bouteille de saké, le maître a rempli à ras bord deux tasses de taille différente.

« Buvez ! » m'a-t-il dit avant de disparaître à la cuisine. Cette pièce de huit tatamis donnait sur le jardin. Un seul volet était ouvert. A travers la vitre, j'ai pu deviner vaguement des branches d'arbres. Comme ils n'étaient pas en fleurs, je n'arrivais pas à les reconnaître. De toute façon, les plantes ne me parlent pas beaucoup. Quand le maître est revenu avec une assiette remplie de saumon en menus morceaux et de petits biscuits piquants, j'ai demandé :

« Les arbres du jardin, qu'est-ce que c'est ?

— Rien que des cerisiers !

— Tous les arbres ?

— Tous, tous, tous. Ma femme aimait les cerisiers…

— Ça doit être joli au printemps !

— Ça attire les insectes, à l'automne, les feuilles mortes recouvrent tout, et en hiver, il ne reste plus que des branches, ça fait désolé… » a-t-il répliqué simplement, sans donner l'impression que cela lui était désagréable.

« Tiens, voilà la lune qui se montre ! » Très haut dans le ciel, le croissant se dessinait. C'était une lune vague. Le maître a saisi un biscuit piquant, et il a penché sa tasse pour la remplir de saké.

« Ma femme était quelqu'un qui ignorait les préparatifs, les prévisions.

— Ah bon ?

— Les choses qu'elle aimait, elle les aimait sans mélange, et c'était pareil pour ce qu'elle détestait.

— Ah bon ?

— Ces petits biscuits viennent d'Akita. Ils sont très piquants, c'est bien. »

En effet, ils piquaient la langue et se mariaient bien avec le saké. J'en ai grignoté plusieurs en silence. Dans les branchages des arbres du jardin, on entendait comme un battement d'ailes. Des oiseaux ? Un frêle cri s'est fait entendre, puis un frôlement dans les feuilles et les branches, ensuite tout s'est apaisé.

Est-ce qu'il y aurait un nid ? ai-je demandé, mais je n'ai pas obtenu de réponse. Je me suis retournée, le maître était plongé dans un journal. Ce n'était pas le journal du jour, il en avait sans doute pris un au hasard parmi ceux qui traînaient. Son attention était captée par la page des nouvelles de l'étranger, à l'endroit où figurait à côté du feuilleton la photo d'une femme en maillot de bain. Il donnait l'impression d'avoir totalement oublié ma présence.

Je l'ai appelé une seconde fois, mais il n'a pas répondu. Il est absorbé dans sa lecture.

Maître ! J'ai parlé d'une voix forte. Il a levé la tête.

« Tsukiko, voulez-vous regarder le journal ? » me demande-t-il brusquement. Je n'ai pas le temps de répondre qu'il pose le journal sur les tatamis, écarte les *fusuma*[1] et passe dans la pièce attenante. D'une vieille commode, il sort plusieurs objets dont il revient les bras chargés. Ce sont de petites céramiques. Il fait plusieurs allers et retours entre la pièce de huit tatamis et la chambre voisine.

---

1. Cloison mobile tendue de papier épais souvent orné de motifs décoratifs.

« Voilà ! J'ai trouvé ce que je cherchais ! » Les yeux plissés de plaisir, il aligne soigneusement les poteries sur le sol. Les objets sont tous munis d'une anse, d'un couvercle et d'un bec.

« Regardez ! » J'obéis, tout en me demandant ce que cela peut bien être. Il me semble pourtant avoir déjà vu des objets de ce genre, et je prends mon temps pour les examiner. Ils sont de facture grossière. Serait-ce par hasard des théières ? Non, ils sont trop petits pour ça.

La voix du maître s'élève :

« Ce sont des théières de train !

— Des quoi ?

— Eh bien, avant, quand on voyageait en train, on achetait un repas froid à la gare ou dans le train, sans oublier une théière. Maintenant, on vend le thé dans des récipients en plastique, mais autrefois, c'était vendu là-dedans. »

Il y en avait une dizaine au moins. Certaines avaient la couleur du miel, d'autres étaient plus pâles. Chacune avait une forme particulière. Grand bec, grosse anse, petit couvercle, ventre bombé.

« Vous en faites collection ? ai-je demandé, mais le maître a secoué la tête.

— Ce sont toutes des théières que j'ai achetées en voyage, autrefois, en même temps que le repas froid. »

« Ça, c'est l'année où je suis entré à l'université, j'ai fait un voyage dans la région de Shinshû. Celle-ci, c'était pendant les grandes vacances, au cours d'un voyage à Nara que j'ai fait avec un collègue, j'étais descendu du train pour acheter un repas froid pour nous deux, et juste au moment où j'allais remonter, le train est parti ! Celle-là, c'était pendant notre voyage de noces, à l'aller, je l'ai achetée à Odawara, ma femme l'a conservée pendant tout le voyage, enveloppée dans du papier journal et enfouie à l'abri au milieu des vêtements… » Le maître expliquait la provenance de chaque théière, pointant du doigt parmi la rangée des petites poteries couchées sur le tatami. Quant à moi, je me contentais de murmurer quelque chose à chaque explication.

« Vous savez, j'ai entendu dire qu'il y avait des gens qui collectionnaient ce genre d'objets.

— Et ça vous en a donné l'idée ?

— Vous n'y pensez pas ! Non, mademoiselle, je ne suis pas du genre à faire de telles extravagances ! »

Il a enchaîné en déclarant qu'il n'avait fait qu'aligner, dans le dessein de me les montrer, des objets qui se trouvaient chez lui depuis toujours. Le coin de ses yeux s'est plissé.

« Figurez-vous que je suis incapable de jeter », a-t-il dit en allant à nouveau dans la pièce à côté, d'où il est revenu en portant cette fois plusieurs petits sacs de plastique.

« Ça, eh bien, c'est… » Tout en parlant, il a défait le nœud qui fermait un sac. A plongé la main à l'intérieur. Pour en retirer une quantité de piles électriques. Sur le flanc de chacune d'elles, était écrit au feutre noir *rasoir*, *horloge*, *transistor*, *lampe de poche*. S'emparant d'une pile d'un volt et demi :

« Elle date de l'année du fameux typhon de la baie d'Yse. A Tôkyô aussi, un assez gros typhon a sévi, et en un été, ma lampe de poche a consommé toutes ses piles ! »

« Ça, c'est quand j'ai acheté pour la première fois un lecteur de cassettes, il fallait huit piles, qui étaient aussi dévorées tout de suite, et pour écouter les symphonies de Beethoven, par exemple, à force de retourner les cassettes, j'ai usé toutes les piles en quelques jours ! Je ne pouvais tout de même pas conserver les huit, alors j'ai décidé de n'en garder qu'une, que j'ai choisie au hasard, en fermant les yeux. »

Voilà le genre de choses qu'il me raconte. Ces piles qui ont travaillé pour lui sans regimber lui semblent pitoyables et si attendrissantes qu'il n'a pas le cœur de s'en séparer. Ces piles qui jusque-là ont pour lui produit de la lumière ou fait tourner un moteur, il lui paraît cruel de les jeter, à présent qu'elles sont mortes.

« Vous n'êtes pas de mon avis, Tsukiko ? » a-t-il dit en observant l'expression de mon visage.

Que pourrais-je lui répondre ? Tout en émettant pour la énième fois un oui vague, j'ai frôlé du doigt l'une de ces piles qui sont là par dizaincs, dcs grosses comme des petites. Elle est rouillée et humide. Je peux lire *calculette Casio*.

« La lune est bien inclinée à présent », a remarqué le maître en tendant le cou. La lune a traversé le halo, et brille d'un vif éclat.

« Le thé infusé dans la théière du train devait être bien bon… » ai-je dit à mi-voix. Alors le maître :

« Si on se préparait un thé ? » Et il a avancé la main d'un geste vif. Fouillant du côté où il y avait la bouteille de saké, il en a retiré une boîte à thé. Il a versé à la diable quelques feuilles dans la théière couleur de miel, puis a ouvert le couvercle d'une vieille thermos à côté de la table basse, et il a versé de l'eau chaude.

« Cette bouteille thermos, eh bien, c'est un cadeau des élèves. C'est une vieille fabrication américaine, mais l'eau bouillante que j'ai mise dedans hier est encore chaude. C'est tout simplement formidable ! »

Le maître a versé tel quel le thé dans les tasses qui avaient servi à boire le saké, puis il a caressé avec tendresse le vieil objet. Il restait sûrement un peu de saké dans ma tasse, car le thé avait un drôle de goût. Brusquement, l'alcool a fait sentir son effet, et je me suis sentie envahie par une sorte de gaieté.

« Maître, puis-je jeter un coup d'œil ? » Sans attendre la réponse, j'ai marché jusqu'au désordre dans un coin de la pièce de huit tatamis.

Je sens une résistance. Je découvre un vieux briquet Zippo. Une glace à main légèrement piquée. Trois grosses serviettes de cuir noir, qui ont tellement servi que le cuir est tout ridé. Toutes les trois sont du même modèle. Il y a un vase. Une boîte pour ranger des articles de papeterie. Quelque chose comme un boîtier noir en plastique. Avec un compteur et une aiguille.

« Qu'est-ce que c'est ? ai-je demandé en la prenant.

— Quoi donc ? Ah, ça ? Eh bien, c'est un appareil pour tester. »

J'ai répété le mot sans comprendre. Il m'a alors doucement pris des mains la boîte noire, et s'est mis à chercher quelque chose dans le fouillis. Il a mis finalement la main sur un fil rouge et un autre, noir, qu'il a branchés au « testeur ». L'extrémité des fils se termine par une fiche. Tout en m'expliquant chacun de ses gestes, le maître a relié un côté de la pile qui porte la mention *rasoir* au fil rouge, et l'autre au fil noir.

« Tenez, regardez ! » Comme ses deux mains sont prises, il me désigne d'un mouvement du menton le compteur du « testeur ». L'aiguille oscille avec d'infimes secousses. Quand on sépare les fiches de la pile, elle s'immobilise, si on les relie à nouveau, elle se remet à trembler.

« Il reste encore du courant, fait doucement remarquer le maître. L'énergie est insuffisante pour activer le moteur, mais la pile est vivante. »

Une à une, soigneusement, le maître a mesuré plusieurs piles. La plupart d'entre elles ne réussissaient pas à agiter l'aiguille, mais de temps à autre, il s'en trouvait une qui lui imprimait des oscillations. A chaque fois, le maître laissait échapper un petit murmure.

J'ai dit : « Elles sont vivantes, avec timidité peut-être, mais elles vivent ! » Le maître a légèrement hoché la tête.

Lentement, il a ajouté d'une voix lointaine :

« Mais dans quelque temps, elles finiront toutes par mourir !

— Elles achèveront leur vie à l'intérieur de la commode !

— C'est vrai, c'est sûrement de cette façon que les choses se passeront ! »

En silence, nous avons regardé la lune un moment. Bientôt :

« Vous voulez boire encore un peu ? » a demandé le maître d'une voix pleine d'entrain tout en versant du saké dans ma tasse.

« C'est malin ! Il restait du thé dans votre tasse !

— Ça fera du saké au thé !

— Mais le saké ne doit jamais être coupé !

— Je vous assure que ça ne fait rien ! »

Tout en répétant que cela ne me dérangeait pas, j'ai vidé ma tasse d'un trait. Lui buvait à

17

petites gorgées. L'éclat de la lune devenait de plus en plus intense.

Soudain s'élève, basse et lente, la voix du maître :

Tremblant le saule,
Blanche la rivière dans la nuit,
Et au-delà de l'eau la fumée des prés

Quand je demande : « Qu'est-ce que c'est, cette espèce de chant sacré ? » il me répond avec une sorte de colère lasse :

« Tsukiko, vous ne suiviez pas très attentivement les cours de japonais, à ce que je vois ! »

Je réplique : « On ne m'a jamais appris ça !

— Enfin, c'est Irako Seihaku[1], voyons !

— C'est la première fois que j'entends ce nom ! » En même temps, je m'empare de la bouteille de saké et je remplis ma tasse.

« En voilà des façons ! Une femme qui se verse elle-même du saké ! me gronde-t-il.

— C'est vous qui êtes vieux jeu !

— Eh oui, vieux jeu, pour vous servir ! »

Tout en grommelant, le maître a rempli sa tasse à ras bord. Puis il a continué à réciter le poème.

---

1. Irako Seihaku (1877-1946), poète de l'époque Meiji, qui cessa toute activité poétique pour se consacrer à la médecine à partir de 1906.

Au-delà de la rivière
A peine perceptible le son d'une flûte
Touche le cœur du voyageur

Les yeux fermés, comme s'il écoutait sa propre voix, il récite. Moi, j'ai regardé les piles de toutes tailles, sans penser à rien de précis. Les piles étaient calmes à présent, sous la faible lumière. De nouveau, la lune s'est enveloppée d'un halo.

Les poussins

C'est le maître qui m'a proposé un jour d'aller avec lui voir le marché qui se tient tous les huit du mois.

« Il a lieu le 8, le 18 et le 28. Ce mois-ci, le 28 tombe un dimanche et je suppose que c'est le jour qui vous arrange le mieux… » Disant cela, le maître a tiré un carnet de sa serviette noire qui ne le quitte jamais.

« Le 28 ? » À mon tour, j'ai feuilleté sans me presser mon agenda. C'était ridicule, puisque je savais bien que je n'avais rien de prévu ce jour-là.

« Oui, le 28, c'est sans problème », ai-je répondu en me donnant un air important. Avec un gros stylo, le maître a noté sur son carnet à la date du 28 : *Marché. Rendez-vous Tsukiko midi devant arrêt bus Minamimachi*. Il a une belle écriture.

« Nous nous retrouverons à midi », a dit le maître tout en remettant l'agenda dans sa serviette. Cela ne nous arrive pas souvent de nous voir en plein jour, jamais pour ainsi dire. Notre style de rencontre, c'est dans le petit troquet à moitié sombre, devant une assiette de pâté de soja froid si la saison s'y prête, comme maintenant, en train d'activer nos baguettes dans un plat de ce même tôfu bouillant si la saison est encore fraîche, à siroter du saké l'un à côté de l'autre. Je dis rencontre, mais qu'on n'aille pas imaginer que nous nous fixons rendez-vous, non, il se trouve que nous nous croisons par hasard à la même heure, au même endroit. Il nous arrive aussi bien de passer des semaines sans nous voir, comme nous pouvons nous retrouver ensemble plusieurs soirs de suite.

« C'est un marché de quoi ? ai-je demandé en me versant du saké.

— Mais, un marché, tout simplement ! On y trouve de tout, évidemment, tout ce qui fait partie de la vie de tous les jours ! »

Je trouvais quelque peu singulier d'aller voir avec le maître de ces choses qui font partie de la vie de tous les jours, comme il disait, mais je me suis vite rendue. A mon tour, j'ai inscrit dans mon agenda : *Midi arrêt bus Minamimachi.*

Lentement il a vidé son verre, et s'est servi à nouveau. Il incline légèrement le flacon et on entend le bruit du liquide qu'il verse. Il n'approche pas le flacon au niveau de sa coupe, non, il s'en empare et l'incline de toute sa hauteur au-dessus du verre posé sur la table. Le saké forme un mince filet qui s'écoule en donnant l'impression dc s'enfoncer à l'intérieur du verre. Pas une goutte ne tombe. Quelle technique ! J'ai essayé moi aussi de me servir en tenant le flacon sans l'approcher du verre, mais j'ai presque tout fait tomber à côté. Quel gâchis ! Depuis, je tiens mon verre de la main gauche, de la main droite le flacon, que j'approche le plus près possible du bord, et je me suis résignée à me servir sans raffinement aucun.

Cela me rappelle qu'un collègue de bureau m'avait dit une fois : « La manière dont tu sers le saké manque vraiment de coquetterie ! » Le mot déjà date. Quant au fait d'espérer une quelconque séduction dans la manière de remplir les coupes, qui sous-entend bien sûr que cette tâche est censée incomber aux femmes, c'est encore bien plus ringard. J'ai regardé mon collègue en écarquillant les yeux de surprise. Avec pour résultat, je me demande comment il a pu se méprendre à ce point, qu'en sortant de l'établissement, il a tenté de m'entraîner dans un coin pour m'embrasser. Mais qu'est-ce qui lui prenait ? De mes deux mains, j'ai arrêté la figure de mon collègue qui tentait de s'approcher, et je l'ai repoussé.

« Tu n'as pas besoin d'avoir peur », a-t-il murmuré en écartant mes mains pour tenter une nouvelle fois d'approcher sa figure. Décidément, il n'y était pas du tout. Je me suis contenue, prenant sur moi pour ne pas éclater. Et d'un ton grave, avec une expression tendue, j'ai dit le plus sérieusement du monde :

« Non, aujourd'hui n'est pas de bon augure…

— De bon augure ?

— Mais oui, puisque c'est un jour *tomobiki* ! Impossible de définir de façon précise s'il est faste ou néfaste, à éviter donc. Et demain est un jour carrément rouge dans le calendrier chinois !

— Le quoi ? »

J'ai planté là mon collègue bouche bée, dans l'obscurité, et je me suis engouffrée dans l'escalier du métro. Arrivée en bas des marches, j'ai continué à courir quelque temps. Après m'être assurée qu'il ne m'avait pas suivie, je suis allée aux toilettes et je me suis soigneusement lavé les mains. En me voyant dans la glace avec mes cheveux légèrement décoiffés, j'ai pouffé.

Le maître n'aime pas qu'on lui remplisse son verre. Bière ou saké, il se sert lui-même soigneusement. Une fois, je l'ai servi en premier comme nous allions trinquer à la bière. Au moment où j'inclinais la bouteille, il a eu un léger recul, je l'ai nettement senti. Mais il n'a rien dit. Quand le verre a été plein, il l'a pris tranquillement et tout en murmurant « Santé ! » entre ses dents, il l'a avalé d'un trait. Au dernier moment, il s'est un peu étranglé. J'étais certaine qu'il avait bu précipitamment. Certaine qu'il avait voulu vider son verre au plus vite. Quand j'ai pris la bouteille pour lui servir un second verre, il s'est redressé et m'a dit :

« Je vous remercie. Mais ne vous donnez pas cette peine, j'aime me servir moi-même. » Depuis, je ne lui verse jamais à boire. Lui parfois, me remplit mon verre.

Je suis arrivée la première à l'arrêt du bus, mais je n'ai pas eu le temps de l'attendre. J'avais un quart d'heure d'avance, lui, dix minutes. Le temps était splendide ce dimanche-là.

« Ces ormes sont vraiment luxuriants ! » a dit le maître en levant les yeux vers les grands arbres qui bordaient la rue à cet endroit. C'était vrai, les branches des ormes emmêlaient leurs feuillages vert foncé. Le vent ne soufflait presque pas, pourtant les cimes qui s'élevaient haut dans le ciel se balançaient en un mouvement ample.

C'était une chaude journée d'été, mais l'humidité n'était pas très élevée et à l'ombre, il faisait frais. Nous sommes allés en autobus jusqu'à Teramachi, puis nous avons marché un peu. Le maître portait un panama, avec une chemise imprimée à manches courtes de couleur sobre.

« Elle vous va bien, ai-je dit.

— Oh, pas tant que ça », a-t-il répondu très vite, en accélérant le pas. Nous avons marché d'un pas rapide en silence pendant un moment, mais bientôt le maître a ralenti son allure et il m'a demandé :

« Vous n'avez pas faim ?

— En tout cas, je suis essoufflée », ai-je
répondu. Il a ri et m'a dit :

« C'est de votre faute, Tsukiko. Il ne faut pas
dire des choses comme ça !

— Mais je n'ai rien dit de bizarre, vous êtes
élégant, c'est vrai ! » Sans répondre, il est entré
dans une boutique de plats à emporter. S'adressant à l'employée :

« S'il vous plaît, un spécial porc et chou chinois sauce piquante ! » Puis se tournant vers
moi : « Et vous, Tsukiko ? » Il a un regard qui
m'incite à me décider sur-le-champ. Il y a tant
de choix que je ne sais où donner de la tête. Je
suis tentée une fraction de seconde par des œufs
frits accompagnés de riz et de pousses de soja,
mais ces œufs au plat, finalement ça ne me plaît
pas. Une fois que j'ai commencé à hésiter, je
deviens tout à fait incapable de me décider.

Après avoir tergiversé à n'en plus finir, j'ai
fini par commander la même chose que le
maître, porc et chou chinois sauce piquante.
Assis sur un banc dans un coin du magasin, nous
avons attendu côte à côte que notre commande
soit prête.

« On voit que vous êtes habitué à choisir »,
ai-je dit. Le maître a hoché la tête.

« C'est que je vis seul, alors... Et vous,
Tsukiko, faites-vous la cuisine ?

— Quand j'ai un ami, oui, je la fais, sinon... »

Le maître a approuvé avec sérieux ma réponse.

« Voilà une attitude normale. Moi aussi, je devrais essayer d'avoir une ou deux amies…

— Mais s'il y en a deux, ce ne sera pas simple !

— C'est vrai ! Non, enfin, je voulais dire que deux, ça doit être la limite ! »

Pendant que nous échangions ce genre de propos sans suite, notre commande a bientôt été prête. L'employée du magasin nous a mis dans un sac en plastique deux boîtes de taille différente. Tiens, elles ne sont pas de la même taille ! Nous avons commandé la même chose pourtant ! ai-je chuchoté à l'oreille du maître. Celui-ci m'a répondu à voix basse : Mais voyons, ce n'est pas le spécial que vous avez commandé, vous, c'est l'ordinaire ! Quand nous avons quitté le magasin, le vent s'était levé. Le maître tenait dans sa main droite le sac de plastique qui contenait notre repas, de la gauche il a maintenu son panama.

Par-ci par-là, des éventaires commencent à apparaître le long du trottoir. Il y en a un qui vend uniquement des *tabi*[1] de travail. Un autre, des parapluies pliants. Encore un autre, des

---

1. Sortes de chaussettes, généralement en coton, qu'on attache par des agrafes sur le côté et qui maintiennent le gros orteil séparé des autres doigts. Il s'agit ici de chaussettes munies d'une semelle caoutchoutée. D'un usage très courant dans certaines professions, les jardiniers entre autres.

fripes. Là, on vend en même temps des livres d'occasion et des neufs. Finalement, les trottoirs finissent par être recouverts des deux côtés par les étals, sans laisser le moindre centimètre de libre.

« Par ici, tout a été détruit par l'eau au moment du violent typhon, il y a quarante ans, vous savez !

— Quarante ans ?

— Il y a eu des victimes, oui, beaucoup de gens sont morts. »

Le maître m'a expliqué que le marché remontait à cette époque. L'année qui avait suivi les pluies torrentielles, il avait été considérablement réduit, mais très vite, il avait retrouvé son envergure, fonctionnant trois fois par mois. Ce marché ne cessait de connaître une animation toujours plus grande. A présent, le long du chemin entre l'arrêt d'autobus Teramachi et le suivant, Kawasuji-nishi, on trouve des éventaires même les autres jours du mois.

« Venez, venez ! » me dit le maître, qui pénètre dans un petit square un peu en retrait. Le square est désert. Alors qu'il y a foule juste à côté, dès qu'on pénètre un peu plus avant, tout redevient calme. Au distributeur qui se trouve à l'entrée du square, le maître a acheté deux canettes d'infusion de riz naturel.

Côte à côte sur un banc, nous avons ouvert la boîte de notre repas. Immédiatement, l'odeur du piment rouge a assailli nos narines.

« C'est vrai que le vôtre, c'est le menu spécial !

— Eh oui, figurez-vous !

— Quelle est la différence avec l'ordinaire ? »

Nos têtes se sont penchées en même temps pour examiner le contenu des boîtes.

« Il n'y a pas grande différence », a déclaré le maître, comme si cette découverte lui faisait plaisir.

Nous avons avalé le thé à petites gorgées. Il y a du vent, mais le plein été me fait songer, presque avec nostalgie, aux jours gorgés d'eau. Le liquide froid coule dans ma gorge et me désaltère avec douceur.

« Tsukiko, on a l'impression en vous voyant manger que vous avalez quelque chose de délicieux ! » dit-il avec envie en me regardant mettre du riz dans ce qui me reste de sauce piquante. Lui a déjà fini son repas.

« C'est très mal élevé, ce que je fais, excusez-moi !

— On ne peut pas dire en effet que ce soit très élégant ! Mais ça a l'air bien bon ! » dit-il encore une fois tout en replaçant le couvercle sur la boîte de plastique vide qu'il maintient avec un élastique. Dans le square sont plantés alternativement des ormes et des cerisiers. Ce jardin doit exister depuis longtemps, car les arbres sont immenses.

Quand on a dépassé un coin où on propose toutes sortes de choses, les étals de nourriture se font de plus en plus nombreux. Ici, rien que des fèves. Là, des coquillages. Ailleurs, petites crevettes et crabes minuscules qu'on vend dans des petits paniers. Un étal de bananes. Le maître s'arrête à chacun, et jette un œil. Il se penche légèrement pour regarder, mais se redresse dès qu'il s'éloigne de l'éventaire et reste bien droit.

« Tsukiko, ce poisson a l'air bien vivace !

— Mais il y a des mouches autour.

— Les mouches tournent toujours autour de quelque chose !

— Oh ! Si vous achetiez ce poulet ?

— Mais il est entier ! Je ne me vois pas en train de le plumer ! »

Nous avons continué à bavarder ainsi, en regardant les étals pour le plaisir, sans rien acheter. Les éventaires devenaient de plus en plus serrés. Presque coude à coude, les marchands faisaient la réclame, rivalisant pour attirer le client.

Maman, elles ont l'air bonnes, ces carottes ! dit un enfant à sa mère qui tient un panier à provisions. Tiens, moi qui croyais que tu détestais ça, les carottes ! C'est nouveau ! La mère n'en revient pas. Ben oui, mais elles sont si appétissantes ! riposte l'enfant avec vivacité. Bravo, petit ! C'est qu'il a tout de suite compris, lui ! Il n'y a pas meilleurs légumes, renchérit le patron.

« Elles sont vraiment bonnes, à votre avis, ces carottes ? me demande le maître en examinant l'étalage avec grand sérieux.

— Elles ont tout simplement l'air de carottes ordinaires !

— Mmm... »

Le panama du maître est légèrement de travers. Nous avons avancé dans la foule en jouant des coudes. Par moments, je ne voyais plus le maître, caché par la foule. Je le retrouvais en suivant le haut du panama que je ne perdais pas de vue. Quant à lui, il ne se retournait jamais pour savoir si je le suivais ou non. Comme un chien qui s'arrête à chaque poteau électrique, quand j'arrivais au niveau d'un éventaire qui suscitait mon intérêt, c'était pour découvrir immédiatement le maître, arrêté au même endroit.

La mère et l'enfant de tout à l'heure étaient accroupis devant un étal de champignons. Le maître aussi s'est baissé derrière eux.

Dis, maman, ils ont l'air bons, ces champignons, là, les morilles coniques ! Tiens, moi qui croyais que tu détestais ça, les morilles coniques ! C'est nouveau ! Ben oui, mais elles sont si appétissantes ! La mère et l'enfant répétaient leur discussion.

« Ils sont de mèche avec le marchand ! a dit le maître d'un air joyeux.

— Une mère et son enfant comme compères, c'est bien trouvé ! Quelle astuce !

— Tout de même, faire dire à un enfant morille conique, c'est un peu exagéré !

— Oui.

— Ils pourraient se contenter de morille tout court, ou même de cèpe, tant qu'à faire ! »

Les étals de nourriture se faisaient peu à peu plus rares. On en découvrait d'autres qui proposaient des marchandises plus conséquentes. Des appareils électroménagers. Des ordinateurs. Des téléphones. Des frigidaires de petite dimension s'alignaient, le même modèle en plusieurs couleurs. Un 33 tours passait sur un vieil électrophone. Des notes de violon parvenaient à l'oreille, tout bas. C'était un air d'autrefois, plein de charme. Le maître est resté à écouter sans bouger, jusqu'à la fin du morceau.

Ce n'est que le milieu de l'après-midi, pourtant l'approche du crépuscule pénètre toutes choses de façon ténue, légère. C'est l'heure où la touffeur vient de franchir le seuil ultime avant de commencer à décliner.

« Vous n'avez pas soif ? demande le maître.

— Si, mais puisque nous allons boire tout à l'heure de la bière, je ne veux rien avaler jusque-là », ai-je répondu. Alors le maître hoche la tête d'un air content et me dit :

« Mention bien !

— C'était un examen ?

— En matière de boisson, Tsukiko, vous êtes une excellente élève ! Je n'en dirais pas autant de vos résultats en japonais, qui étaient presque nuls… »

Un éventaire proposait des chats. Il y avait des chatons qui venaient presque de naître, de gros chats aussi, qui remuaient avec lenteur. Un enfant suppliait sa mère de lui en acheter un. C'étaient les compères de tout à l'heure.

C'est impossible, où le mettrions-nous ? avance la mère. On s'arrangera, je lui ferai un abri dehors ! insiste l'enfant d'une petite voix. Dehors, c'est facile à dire ! Mais est-ce qu'un chat acheté comme ça en magasin est capable de vivre dehors ? Sûr que ça ira, on se débrouillera ! Le patron de l'éventaire considère en silence le débat entre la mère et l'enfant. Bientôt, l'enfant montre du doigt un petit tigré. Le patron enveloppe le chaton dans un morceau de tissu souple, la mère le prend et le fourre dans son panier à provisions. Du fond du panier parviennent de faibles miaulements.

« Tsukiko ! » La voix du maître s'élève soudain.

« Quoi donc ?

— Moi aussi, je vais en acheter ! »

Il ne s'agit pas des chats, le maître a parlé en s'approchant d'un étal de poussins.

« Un mâle et une femelle, s'il vous plaît ! » a-t-il dit sans hésitation.

Le patron s'est emparé d'un poussin à gauche, d'un autre dans le groupe de droite, les a mis chacun dans une petite boîte. Voilà ! Et il a tendu les boîtes au maître. Celui-ci les a prises d'un air craintif. Tout en posant l'une sur l'autre les deux boîtes sur sa main gauche, il a sorti de l'autre son portefeuille qu'il m'a tendu.

« Excusez-moi, mais voulez-vous régler, s'il vous plaît ?

— Je vais tenir les boîtes plutôt.

— C'est juste. »

Le panama du maître est tout de travers, encore plus que tout à l'heure. Tout en essuyant avec son mouchoir la sueur de son front, il a payé. Il a remis son portefeuille dans sa poche, et après quelques instants d'hésitation, il a fini par enlever son panama.

Tenant son chapeau à l'envers, il m'a pris les boîtes des mains, l'une après l'autre, et les a déposées au fond. Quand les deux petits cartons ont été installés, il s'est remis à marcher, portant précautionneusement, des deux mains, la petite cage improvisée.

Nous sommes montés dans l'autobus à l'arrêt Kawasuji-nishi. Il y avait moins de monde qu'en venant. De nouveau, la foule grossissait sur le marché. C'étaient sans doute des gens qui venaient faire leurs courses pour le soir.

« Il paraît qu'il est difficile de distinguer un poussin mâle d'une femelle », ai-je dit. Le maître s'est contenté de murmurer un vague acquiescement.

« Oui, merci, je sais cela tout de même.

— Ah.

— Que ces poussins soient mâles ou femelles, ça n'a pas la moindre importance.

— Ah.

— C'est parce qu'un poussin tout seul, c'est triste.

— Vraiment ?

— Vraiment. »

Je suis descendue de l'autobus en me demandant s'il avait raison, et j'ai suivi le maître qui me devançait et s'apprêtait à entrer dans notre troquet habituel. Une bouteille de bière. Deux flacons de saké. Il a passé la commande immédiatement. Et puis, des fèves aussi ! On nous a tout de suite apporté la bière et deux verres.

« Vous voulez que je vous serve ? » ai-je demandé, mais il a secoué la tête.

« Non, c'est moi qui vais remplir votre verre, Tsukiko ! Je me servirai en même temps. » Comme d'habitude, il ne me laisse pas le servir.

« Vous détestez qu'on vous serve ?

— Si c'est quelqu'un qui sait s'y prendre, non, mais vous, Tsukiko, vous n'avez vraiment pas la manière !

— Ah bon ?

— Je peux vous apprendre, si vous voulez.

— Non, sans façons !

— Vous êtes têtue.

— Moins que vous ! »

La bière dont il a rempli mon verre moussait avec fermeté. Je lui ai demandé où il avait

l'intention d'élever les poussins, il m'a répondu :
« Dans la maison pendant quelque temps. » De
l'intérieur des boîtes couchées dans le chapeau,
on entendait les poussins qui s'agitaient, faiblement. « Vous aimez élever des animaux ? » ai-je
demandé. Il a secoué la tête.

« Ce n'est pas vraiment mon fort !

— Vous croyez que ça ira ?

— Oui, des poussins, je pense. Ce n'est pas
particulièrement mignon, n'est-ce pas ?

— Parce que vous préférez que ce ne soit pas
mignon ?

— Quand c'est trop mignon, je perds la tête. »

On entend des grattements à l'intérieur des
boîtes. Comme il a vidé son verre, je le lui ai
rempli. Il n'a pas protesté. Avec un peu plus de
mousse, oui, voilà, comme ça. Il acceptait d'un
air tranquille que je lui remplisse son verre.

« Il faut mettre au plus vite les poussins en
liberté », a-t-il dit, et ce jour-là, nous nous
sommes arrêtés à la bière. Après avoir mangé les
fèves, les aubergines grillées et les tranches de
poulpe à la moutarde verte, nous avons réglé
l'addition chacun de notre côté.

Dans la rue, le soir était presque tombé. La
mère et l'enfant que nous avions observés au
marché avaient-ils fini de dîner ? Le petit chat
faisait-il entendre ses miaulements ? Les rayons
du soleil couchant doraient encore le ciel à
l'ouest, presque estompés déjà.

Les vingt-deux étoiles

Le maître et moi, nous ne nous parlons plus.

Ce n'est pas que nous ne nous voyons pas. Nous nous retrouvons souvent dans le même troquet, mais nous n'échangeons pas un mot. Du coin de l'œil, chacun s'assure que l'autre est bien là, puis nous décidons de nous ignorer absolument. Je l'ignore, il m'ignore pareillement. Comme cela remonte à l'époque où on commençait à voir écrit *Pot-au-feu* sur le tableau noir qui annonce la spécialité du jour, cela doit faire bientôt un mois environ. Il nous arrive parfois de nous côtoyer au comptoir, mais nous ne nous adressons pas la parole, jamais.

Tout a commencé à cause de la radio.

C'était la retransmission en direct d'un match de base-ball. L'issue finale était proche. C'est rare que la radio soit allumée dans l'établissement, et moi, accoudée au comptoir, je sirotais tranquillement mon saké tout en écoutant d'une oreille distraite.

Au bout d'un moment, la porte s'est ouverte et le maître est entré. Tout en prenant place à côté de moi, il a demandé au patron : « Le pot-au-feu est à quoi ? » Sur les étagères, étaient empilées les petites marmites pour une personne et on voyait dépasser le papier d'aluminium.

« Au colin !

— Bien, bien.

— Bon, alors, je vous en prépare un ? » s'enquiert le patron, mais le maître a un geste de dénégation.

« Donnez-moi des oursins au sel ! »

J'écoutais leurs propos tout en me disant dans mon for intérieur que le maître était décidément imprévisible. Le troisième batteur de l'équipe qui menait l'offensive avait projeté une balle très loin, et l'agitation des supporters était à son comble, ils faisaient retentir sifflets et tambours.

« Tsukiko, quelle est votre équipe favorite ?

— Je n'ai pas d'équipe favorite », ai-je répondu en remplissant mon verre d'eau-de-vie de riz. Dans le bistrot, tous les clients suivaient le match avec passion.

« Moi, c'est les Giants, bien entendu ! » a répondu le maître, et il a vidé d'un trait son verre de bière avant de passer au saké. Plus que d'habitude, il avait eu, comment dire, un ton passionné. Quelle peut bien être l'origine de cet élan ?

« Bien entendu ?

— Mais oui, bien entendu. »

Le match retransmis en direct met aux prises les Giants avec les Tigers. Si je n'ai pas d'équipe favorite, en revanche, je déteste les Giants. Avant, je m'affichais bien haut « anti-Giants ». Un jour, quelqu'un m'a fait cette réflexion : « Se proclamer anti-Giants, c'est en fait une manière détournée d'avouer qu'on adore cette équipe, quand on est timide et complexé ! » La remarque n'était pas sans éveiller certain écho en moi, et j'ai complètement cessé de prononcer jusqu'au mot de « Giants ». Je me désintéressais aussi des retransmissions. Pour dire la vérité, je ne savais pas moi-même si j'aimais ou non les Giants. Je nageais en pleine ambiguïté.

Le maître inclinait lentement son flacon de saké. Chaque fois qu'un joueur de son équipe favorite réussissait à faire éliminer un adversaire, ou encore si le batteur se montrait brillant, le maître donnait son approbation avec force.

« Tsukiko, qu'est-ce que vous avez ? » Au début du septième jeu, un joueur avait réussi au cours de l'offensive une passe exceptionnelle, et les Giants se retrouvaient avec trois points d'avance sur les Tigers. Le maître avait choisi ce moment pour me demander ce que j'avais.

« Rien, je bouge, tout simplement. »

J'avais commencé à m'agiter depuis que l'écart des points s'était creusé.

« La température se rafraîchit le soir ! » ai-je dit sans me tourner vers le maître, en regardant au plafond, me contentant de cette réponse hors sujet. A ce moment précis, un joueur des Giants a encore réussi à marquer un point. Le cri du maître et le « Merde ! » que j'ai murmuré entre mes dents ont coïncidé exactement. Le quatrième point marqué par les Giants alors que leur victoire était déjà assurée a porté à son comble l'excitation dans le troquet. Pourquoi donc les fans des Giants pullulent ainsi dans cette ville ? C'est irritant à la fin !

« Tsukiko, vous détestez les Giants ? » m'a demandé le maître alors que les Tigers se trouvaient acculés, avec un deuxième joueur éliminé au cours de l'offensive, pendant le neuvième jeu. J'ai hoché la tête en silence. Le bistrot avait retrouvé son calme. Presque tous les clients suivaient avec passion le match à la radio. Je me sentais devenir agressive. Cette retransmission que j'entendais pour la première fois depuis longtemps avait réveillé ma haine des Giants. J'avais pu me convaincre que j'étais bel et bien une « anti-Giants », et pas du tout une fan qui n'osait pas l'avouer, non mais !

J'ai dit à voix basse : « Je les hais ! »

Le maître, écarquillant les yeux, a murmuré : « Je ne m'attendais pas à ça ! Une Japonaise qui hait les Giants !

— Qu'est-ce que ça signifie, ce préjugé ? » ai-je lancé, au moment où les Tigers venaient à nouveau de rater un essai et se faisaient enfoncer. Le maître s'est mis debout et a levé son verre bien haut. On annonçait la fin du match, l'effervescence envahissait de nouveau le bistrot. De tous côtés s'élevaient des voix pour commander qui du saké qui des amuse-gueules. A chaque fois, le patron lançait des « Compris ! » d'une voix sonore.

« Tsukiko, on a gagné ! » Tout sourire, le maître se préparait à me servir du saké de son propre flacon. C'est une chose infiniment rare. Nous avons pour habitude de ne mêler ni nos flacons de saké ni nos assiettes d'amuse-gueule. Chacun commande de son côté. Chacun se sert de son saké. Chacun paie sa part. Nous n'avons jamais dérogé. Mais voilà que le maître s'apprête à me verser du saké. Il rompt le pacte tacite. Et pourquoi ? Tout simplement parce que les Giants ont remporté la victoire ! Qui donc se permet avec sans-gêne de réduire la distance pleine de charme qui s'était instaurée entre le maître et moi ? De quoi je me mêle ? Circulez, rien à voir ! Giants de merde !

« Oui, et alors ? ai-je dit de la plus petite voix que j'ai pu, en évitant le flacon que le maître inclinait vers moi.

— La tactique de Nagashima est vraiment géniale ! » Adroitement, il a versé le saké dans la coupe que je tentais d'éloigner. Pas une goutte n'est tombée à côté. C'est prodigieux.

41

« Comme c'est heureux, vraiment, quel bonheur ! » Sans effleurer des lèvres la coupe que le maître m'avait remplie, je l'ai remise à sa place et j'ai regardé à côté.

« Tsukiko, vous avez une façon de vous exprimer quelque peu bizarre !

— Comme c'est malheureux, vraiment, quel malheur !

— La défense aussi était excellente ! »

Le maître riait. Qu'est-ce qu'il avait à rire, cet abruti ! Intérieurement, je le maudissais. Le maître riait, riait. Lui si paisible d'habitude, si réservé ! C'était un autre homme. Il riait aux éclats.

« Cessons de parler de ce match, voulez-vous ? » ai-je lancé en le regardant d'un œil mauvais. Mais son rire ne cessait pas. Derrière ce rire, flottait une chose curieuse. Quelque chose qui ressemblait à l'éclat qui brille dans le regard d'un jeune garçon tout content d'avoir écrasé une fourmi.

« Mais non, je ne veux pas cesser, il n'en est pas question ! »

Je n'en revenais pas. Connaissant ma haine des Giants, il se délectait à mon nez et à ma barbe de leur victoire, exprès pour me tourner en dérision. J'en suis certaine, il y prenait plaisir.

« Je vais vous dire une chose : les Giants, c'est de la merde ! ai-je dit, et j'ai renversé dans une assiette vide, jusqu'à la dernière goutte, le saké qu'il m'avait servi.

— De la merde ? Voilà une expression qui ne me semble guère convenable dans la bouche d'une jeune fille ! » a répliqué le maître d'une voix extrêmement posée. Il s'est redressé encore plus droit que d'habitude, et a vidé sa coupe.

« Je ne suis pas une jeune fille, figurez-vous !

— Excusez-moi ! »

Une atmosphère agressive s'était levée entre nous. La responsabilité était du côté du maître. Puisque, n'est-ce pas, les Giants avaient gagné. Pendant quelque temps, nous avons vidé puis rempli nos coupes en silence. Sans rien commander pour accompagner le saké, nous avons avalé coupe sur coupe. Finalement, nous étions l'un comme l'autre complètement ivres. Sans un mot, nous avons payé notre addition, nous sommes sortis du bistrot, et nous sommes rentrés chacun de notre côté. Depuis, nous ne nous parlons plus.

Du coup, je me rends compte que tout ce que je faisais jusque-là, c'était avec le maître, lui seul.

A part lui, il y avait longtemps que ça ne m'arrivait plus de boire du saké en compagnie de quelqu'un, de marcher dans la rue ou de voir des choses plaisantes.

Quand je cherche à me rappeler avec qui alors je faisais des choses en commun avant de devenir intime avec le maître, aucun nom ne me vient à l'esprit.

J'étais seule. Seule je prenais le bus, seule je déambulais dans les rues, seule encore je faisais des courses, seule toujours j'allais boire. Il n'y a aucune différence entre l'état d'esprit qui est le mien quand je me trouve avec lui et celui qui m'habitait du temps où je faisais seule toutes ces choses. Mais alors, je dois pouvoir continuer à vivre comme avant ! Quel est ce besoin qui ne me lâche pas de rechercher sa présence ? Seulement voilà, quand je suis avec lui, j'ai l'impression de vivre quelque chose d'authentique. Mais c'est peut-être curieux de parler d'authenticité ? Disons alors que c'est comme cet étrange sentiment qui pousse à préférer laisser le bandeau qui entoure le livre qu'on vient d'acheter, plutôt que de l'ôter. Si le maître savait que je le compare au bandeau d'un livre, il se fâcherait sans doute.

Me retrouver dans le même bistrot que le maître sans que lui et moi échangions un seul regard, c'était l'équivalent du livre séparé du bandeau qui l'accompagne, qu'on aurait posé ailleurs, ça ne collait pas. Quant à remettre simplement en équilibre ce qui avait été déstabilisé, c'était frustrant. Ce sentiment de « l'avoir mauvaise », il devait le ressentir également, ce qui fait que nous avons continué à nous ignorer.

Il m'arrivait de me rendre à Kappabashi, pour mon travail. Ce jour-là, il faisait grand vent, on frissonnait déjà avec seulement une petite veste sur le dos. Ce n'était pas le souffle mélancolique de l'automne, c'était un vent qui appelait le froid brutal de l'hiver. A Kappabashi, on trouve de nombreux magasins de vaisselle, des objets laqués. Un fouillis de marmites et de casseroles, d'assiettes et de récipients de toutes sortes pour la cuisine. Après en avoir fini avec ce que j'avais à faire, je me suis amusée à aller d'un magasin à l'autre, pour le plaisir des yeux. Des marmites en cuivre étaient empilées les unes dans les autres, comme les poupées russes. De la plus petite à la plus grosse, c'était le même modèle chaque fois plus petit de trois centimètres. A l'entrée du magasin était posée en décoration une marmite en terre, incroyablement énorme. Des pelles et des louches de toutes tailles. Là, c'était une coutellerie. En vitrine, une panoplie de couteaux de cuisine, pour les légumes ou le poisson. Aucun manche, les lames seules sont exposées. S'il y a des coupe-ongles, il y a également des ciseaux à fleurs.

Attirée par l'éclat des lames, je suis entrée dans la boutique. Dans un coin sont entassées plusieurs râpes. Sur le manche est passé un élastique qui sert à maintenir un bout de carton sur lequel est écrit *Vente spéciale de râpes*.

« C'est combien ? » ai-je demandé à la vendeuse, en lui tendant une râpe de petite dimension. La vendeuse en tablier m'a répondu :

« C'est mille yens ! » Avant d'ajouter : « Mille yens tout rond, en comptant la taxe. » Moi, j'ai entendu « la tasque ». Je lui ai donné un billet de mille yens et elle m'a enveloppé mon achat.

J'en avais déjà une. Kappabashi est un endroit qui donne toujours envie d'acheter quelque chose. La fois d'avant, j'avais acheté une grosse marmite en fonte. Je m'étais dit que ce serait pratique quand plusieurs personnes se réuniraient chez moi, mais cela n'arrive presque jamais. Les rares fois où c'est arrivé, comme je n'avais pas l'habitude de me servir d'un ustensile aussi grand, je n'ai rien trouvé à préparer dedans. Elle reste rangée au fond d'une étagère dans la cuisine.

J'avais acheté une râpe neuve dans l'intention de l'offrir au maître.

Tandis que je regardais les lames brillantes, j'ai eu envie de voir le maître. La vue de ces lames acérées qui, si seulement on les effleurait, feraient naître le sang à la surface de la peau, a éveillé en moi l'envie de voir le maître. Je ne peux pas expliquer pourquoi l'éclat du métal a suscité ce sentiment, mais j'ai été saisie d'une envie irrésistible de le voir. Un instant, j'avais songé à acheter un couteau de cuisine, dans l'idée de m'en servir comme prétexte pour aller sonner à sa porte, mais un objet tranchant jurerait dans la maison qu'il habite. Une lame ne conviendrait pas à l'atmosphère feutrée et moite de son intérieur. Mon choix s'est donc fixé sur cette râpe à cause de son aspect bien émoussé. De surcroît, mille yens tout juste, ce compte rond me plaisait aussi. A l'idée de débourser un billet de dix pour que le maître n'en continue pas moins à m'ignorer, à seulement l'imaginer, je sentais monter la colère. Je ne pensais pas qu'il resterait insensible à mon geste, mais c'était malheureusement un fan des Giants. Comment aurais-je pu avoir totalement confiance en lui ? C'était me demander l'impossible.

A quelque temps de là, nous nous sommes retrouvés ensemble à l'*izakaya*[1]. On voit bien qu'il a décidé de continuer à m'ignorer. Moi, comme un poisson qui mord à l'hameçon, je me laisse entraîner, et je fais de même. Nous étions au comptoir, séparés par deux places. Assis à l'une de ces places, un homme lisait le journal en buvant du saké. De l'autre côté du journal, le maître a commandé un tôfu chaud. J'ai demandé la même chose.

« Il s'est mis à faire rudement froid ! » a dit le patron, et le maître a incliné la tête. Peut-être bien qu'il a répondu : « C'est vrai ! » sans élever la voix. Je n'ai pas pu entendre à cause du bruit que faisait le client en froissant les pages de son journal.

---

1. Etablissement où on peut consommer principalement des plats servant à accompagner le saké. L'atmosphère y est généralement conviviale et enfumée.

« Vraiment, la température a baissé tout d'un coup ! » ai-je lancé par-dessus l'homme au journal. Le maître m'a jeté un regard. Son expression semble dire : « Tiens, tiens ! » Alors que l'occasion m'était donnée de faire un signe ou un sourire, mon corps ne me suit pas. J'ai tout de suite détourné la tête. J'ai perçu au-delà de l'homme au journal le dos du maître qui se tournait lentement de l'autre côté.

Le plat de tôfu est arrivé, j'ai mangé à la même vitesse que le maître, comme lui je vidais coupe sur coupe, en même temps que lui, j'étais ivre. Comme nous sommes tendus, l'effet du saké met plus longtemps à se faire sentir. L'homme au journal ne fait pas mine de vouloir s'en aller. Le maître et moi, chacun tourné de son côté, feignant l'indifférence, nous continuons de boire, avec l'inconnu entre nous.

« La coupe du Japon est terminée aussi, hein ? a lancé l'homme à l'adresse du patron.

— L'hiver est pour bientôt !

— Le froid ! Quelle horreur !

— Mais les pot-au-feu ne sont jamais aussi bons ! »

L'homme et le patron continuent tranquillement d'échanger des propos. Le maître a tourné la tête. Je sens qu'il me regarde. Je sens son regard qui se fait de plus en plus insistant. Je me tourne gravement dans sa direction.

« Vous ne venez pas vous asseoir ici ? a dit le maître à voix basse.

— Je veux bien », ai-je répondu à voix basse moi aussi.

La place entre l'homme au journal et le maître est libre du côté opposé. Après avoir prévenu le patron que je changeais de place, j'ai pris mon flacon de saké et ma coupe et je me suis levée.

« Voilà », ai-je dit en prenant place à côté du maître. Il a proféré des sons à peine audibles.

Ensuite, tout en regardant droit devant nous, nous avons commencé à boire chacun notre saké.

Ecartant les pans du *noren*[1], nous nous sommes retrouvés dans la rue, après avoir réglé chacun notre addition. Il faisait plus doux que prévu, et le ciel scintillait d'étoiles. L'heure était plus tardive que d'habitude.

« C'est pour vous ! » Et j'ai tendu au maître le paquet, tout froissé à force d'avoir été trimbalé dans ma poche.

« Qu'est-ce que c'est ? » a-t-il demandé en prenant le petit paquet, qu'il a défait avec soin après avoir posé sa serviette par terre. La petite râpe est sortie de son emballage. Dans la pâle lumière qui filtrait à travers le *noren*, elle scintillait. Elle était

---

1. Sorte d'étoffe tendue en travers de l'entrée d'un magasin, servant d'enseigne commerciale, et qui indique, selon qu'elle est suspendue ou non, que le magasin est ouvert ou fermé.

infiniment plus brillante que quand je l'avais vue dans le magasin de Kappabashi.

« C'est une râpe, n'est-ce pas ?

— Mais oui !

— Vous me la donnez ?

— Je vous en prie ! »

Difficile d'imaginer un dialogue plus plat. Nos échanges étaient toujours sur ce ton. J'ai levé la tête vers le ciel et passé les doigts dans mes cheveux. Le maître a refait soigneusement le paquet et l'a mis dans sa serviette, puis il s'est redressé et s'est mis à marcher.

Moi, j'avançais en comptant les étoiles. Derrière le maître, les yeux tournés vers le ciel, je comptais. Quand je suis arrivée à huit, le maître a lancé soudain :

Pruniers en fleurs
A peine écloses les fleurs de colza
Qu'il est suave
le bouillon de l'auberge de Mariko !

« Qu'est-ce que ça peut bien être ? » ai-je demandé. Le maître a secoué la tête et m'a dit avec reproche :

« Enfin, vous ne connaissez pas non plus Bashô ?

— Parce que c'est de Bashô ? ai-je demandé à nouveau.

— Mais oui, Bashô. Je vous l'ai enseigné, autrefois ! » Je ne me souvenais pas d'avoir étudié ce poème. Le maître avançait d'un pas rapide, sans s'arrêter.

« Vous marchez trop vite ! » ai-je lancé dans son dos. Il n'a rien répondu. Comme j'étais un peu dépitée, j'ai fait exprès de répéter ce singulier verset *Qu'il est suave le bouillon de l'auberge de Mariko...*

Le maître a continué un moment à avancer sans se retourner, puis il s'est brusquement arrêté.

« La prochaine fois, on va se préparer ensemble un plat de fécule ! Le haïku de Bashô est un poème de printemps, mais c'est maintenant que les ignames sont bonnes ! Moi, je me servirai de la râpe, et vous, Tsukiko, vous tournerez bien le mortier, s'il vous plaît ! » a-t-il dit sans se retourner, à quelques pas devant moi. Il avait son ton habituel.

Moi, j'ai continué à compter les étoiles en marchant à sa suite. A quinze, nous étions arrivés à l'endroit où nos chemins se séparent. « Au revoir ! » Et j'ai agité la main. A son tour, le maître s'est retourné : « Au revoir ! »

Je l'ai suivi des yeux, puis j'ai repris ma marche. Lorsque je suis arrivée à ma porte, j'avais dénombré vingt-deux étoiles, en comptant les toutes petites.

La cueillette des champignons (1)

Je n'arrive pas, mais pas du tout, à m'expliquer pourquoi je suis en train de marcher dans un pareil endroit.

A l'origine, c'est le maître, qui a commencé à dire : « Les champignons, vous savez… » Il n'aurait pas dû.

« J'aime beaucoup les champignons. »

D'un air réjoui, le dos bien droit, le maître a énoncé le fait en me regardant, alors que nous étions installés au comptoir de l'*izakaya*, un certain soir d'automne plein de fraîcheur.

« Les *matsutake*[1] ? » ai-je demandé. Il a hoché la tête.

« Oui, bien entendu, j'aime aussi cette espèce, mais…

— Oui ?

— Réduire les champignons aux *matsutake* est une attitude aussi simpliste que de limiter le base-ball aux Giants !

---

1. Très apprécié, ce champignon d'automne est devenu si coûteux qu'on l'importe de plus en plus de Chine ou de Corée.

— Mais vous aimez les Giants, que je sache !

— Je ne le nie pas, bien sûr, mais je suis parfaitement conscient que, objectivement, cette équipe n'est pas tout le base-ball à elle seule ! »

Le différend que j'avais eu avec le maître était encore frais, et aussi bien lui que moi, nous étions extrêmement prudents au sujet de ce sport.

« Dans le cas des champignons, ils sont d'une extrême variété.

— Mais encore ?

— Par exemple, l'espèce qu'on appelle *murasaki shimeji*, une sorte de rosé des prés. On les fait griller tout de suite après les avoir cueillis et on les mange en versant dessus quelques gouttes de sauce de soja. C'est un délice.

— Et encore ?

— Certains lactaires, aussi, sont une espèce savoureuse.

— Ah bon ? »

Derrière son comptoir, le patron a avancé la tête de notre côté pour se mêler à la conversation.

« Vous en connaissez un bout sur les champignons, dites donc ! »

Le maître a eu un léger mouvement de tête. Il a répondu : « Non, pas tant que ça ! » mais son air disait qu'en effet, il s'y connaissait drôlement.

« Je me suis fait une habitude en cette saison d'aller ramasser des champignons ! » a lancé le patron en allongeant le cou. Tout comme les oiseaux approchent la nourriture du bec de leurs petits, il agite l'appât sous notre nez.

« Ah bon ? » Le maître a eu pour répondre la même façon ambiguë que j'utilise toujours, moi, un oui qui n'en est pas un, un non qui n'en est pas un.

« Si vous êtes à ce point amateur de champignons, ça ne vous dirait pas que nous y allions ensemble cette année ? »

Le maître et moi nous sommes regardés. Nous venons dans cet *izakaya* presque un jour sur deux, pourtant le patron ne nous avait jamais traités comme des habitués, à plus forte raison, il ne nous avait pas une seule fois adressé familièrement la parole. C'est un principe de l'établissement de traiter tous les clients comme s'ils venaient pour la première fois. Et voilà que le fidèle partisan de ce principe y va de son « ensemble » !

« Où allez-vous en ramasser ? » a demandé le maître. Le patron a encore allongé le cou pour répondre :

« Du côté de Tochigi. » A nouveau, le maître et moi nous sommes regardés. Le cou toujours allongé, le patron attend la réponse. Ma question « Qu'est-ce qu'on fait ? » et la réponse du maître « C'est d'accord ! » ont fusé simultanément. Tout s'est décidé dans la foulée : nous irions ramasser des champignons à Tochigi, dans la voiture du patron.

Je n'y connais à peu près rien en matière de voiture. Je suis certaine qu'il en est de même pour le maître. Celle du patron était une quatre portes blanche. Pas du genre de celles qui sont à la mode maintenant et qu'on voit partout. C'était une solide vieille guimbarde, une caisse rectangulaire comme on en voyait il y a plus de dix ans.

Rendez-vous dimanche matin, à six heures, devant le troquet. Telle était la consigne, et j'avais mis mon réveil à cinq heures et demie. J'ai fait une toilette de chat et quitté la maison avec un sac à dos que j'avais extirpé du placard la veille au soir et qui sentait le moisi. Dans le froid matinal, la clé que j'ai tournée dans la serrure a grincé désagréablement. Je me suis dirigée vers le lieu de rendez-vous sans cesser de bâiller.

Le maître était déjà là. A la main, la même serviette que d'habitude. Bien droit. Le coffre était grand ouvert. Le patron disparaissait à moitié à l'intérieur.

Le maître a demandé :

« Ce sont les instruments pour cueillir les champignons que vous avez là ?

— Non, non, a répondu le patron toujours à moitié dans le coffre. Ça, c'est des choses que j'apporte pour mon cousin de Tochigi ! » Sa voix a retenti du fond du coffre.

Les choses qu'il disait apporter à ce cousin de Tochigi, c'étaient plusieurs sacs en papier et un long paquet de forme rectangulaire. Le maître et moi avons jeté un coup d'œil par-dessus l'épaule du patron. Un corbeau était perché au sommet d'un poteau électrique. Il croassait. On n'en attendait pas moins de lui. Ce n'était peut-être qu'une impression, mais son cri semblait plus paisible que dans la journée.

« Ça, vous voyez, dit le patron en pointant le doigt sur un sac en papier, c'est des biscuits de Kusaka et des algues d'Asakusa. »

De concert, le maître et moi avons vaguement dit : « Ah ! »

Montrant du doigt le paquet rectangulaire : « Ça, c'est du saké ! »

— Voyons, voyons… » a dit le maître tout en déposant bien droit sa serviette par terre. Moi, je ne disais rien.

« C'est que mon cousin, il aime bien le Sawanoi, le coquin ! »

— Moi aussi, figurez-vous !

— Voilà qui tombe bien ! Remarquez que le saké de la boutique, c'est du saké de Tochigi ! »

Le patron se montrait bien plus familier que derrière son comptoir. On lui aurait facilement donné dix ans de moins. Ouvrant la portière arrière : « Montez ! » Il s'est installé au volant et a mis le moteur en marche sans s'asseoir pour de bon. Il a aussitôt quitté son siège pour aller fermer le coffre. Après s'être assuré que nous étions bien installés à l'arrière, il a fait le tour de la voiture, fumé une cigarette debout, puis il a pris place sur le siège, attaché sa ceinture plutôt serrée, et il a appuyé sur l'accélérateur.

« Je vous remercie de vous charger de nous en cette journée », a dit cérémonieusement le maître de son siège arrière. Le patron s'est retourné carrément : « Pas de façons, hein ! » avec un grand sourire. Il a une tête vraiment sympa quand il rit. La pédale de l'accélérateur enfoncée, il est complètement retourné vers nous, ce qui n'empêche pas la voiture de continuer à avancer.

D'une petite voix, je dis : « Heu, il faudrait peut-être, devant... » Le patron a voulu me faire répéter, et il s'est tourné encore plus vers moi. « Quoi ? » Il ne montre aucune velléité de regarder devant lui. Il reste tourné vers moi. Imperturbablement, la voiture continue d'avancer, comme si elle glissait sur sa lancée.

Il n'y a pas de danger ? Non, parce que, sans regarder devant vous... Devant ! Devant vous ! Le maître et moi avons crié ensemble. Un poteau se rapprochait dangereusement.

« Hein ? » En même temps que le patron tournait la tête pour regarder la route, il a donné un coup de volant qui nous a permis de justesse d'éviter le poteau. Le maître et moi avons poussé un profond soupir.

« Ne vous en faites pas, je vous dis ! » a dit le patron, et il a accéléré. Comment en étais-je venue à monter dans une voiture inconnue, et de si bon matin encore ! C'était inexplicable. Quant à savoir en quoi consistait au juste la cueillette des champignons, c'était pour moi un mystère de plus. Je me sentais à peu près comme dans l'état qui suit l'ivresse. Tandis que je nageais ainsi dans l'obscurité, la voiture roulait de plus en plus vite.

J'avais dû m'assoupir. Quand j'ai ouvert les yeux, nous roulions sur une route de montagne. Jusqu'à ce nous soyons sortis de l'autoroute pour emprunter une de ces voies rapides et touristiques du genre « Route de la verdure », j'avais gardé les yeux ouverts. Nous avions parlé de choses et d'autres, en faisant des pauses. Par exemple, que le maître enseignait le japonais, j'avais été son élève, mes notes étaient rien moins que brillantes, le patron s'appelait Satoru, le champignon de montagne qu'on allait ramasser, très courant à l'endroit où on allait, était appelé *modashi*… Quant à savoir quel genre de champignon était ce *modashi* ou dans quelle mesure le maître était sévère en classe, ce n'était pas l'envie qui nous manquait de continuer à en discuter, mais c'est qu'en parlant, Satoru se retournait immanquablement vers l'arrière dans un mouvement large, et le maître ainsi que moi faisions très attention de ne pas nous laisser emporter dans le feu de la conversation.

La voiture escaladait en douceur la route de montagne. Satoru a remonté les vitres jusqu'alors complètement ouvertes. Le maître et moi avons participé à la tâche en fermant celles de l'arrière. La température avait légèrement fraîchi. On entendait résonner le chant limpide des oiseaux du fond de la montagne. La route allait rétrécissant.

Nous sommes arrivés à une bifurcation. L'une des routes était revêtue d'asphalte, l'autre n'était que gravillons. Au bout de quelques mètres sur les gravillons, la voiture s'est immobilisée. Satoru est descendu et s'est mis à marcher. Le maître et moi, sagement assis sur la banquette arrière, nous l'avons suivi des yeux.

« Où peut-il bien être allé ? » ai-je demandé, mais le maître s'est contenté de hocher la tête. J'ai ouvert la vitre. L'air froid de la montagne s'est engouffré. Les cris des oiseaux s'étaient rapprochés. Le soleil était déjà haut. Il était plus de neuf heures.

Le maître a dit soudain :

« Tsukiko, croyez-vous que nous pourrons rentrer ?

— Quoi ?

— J'ai comme le sentiment que nous ne reviendrons jamais… »

Le maître a souri quand j'ai répliqué que ce n'était pas possible. Puis il n'a plus rien ajouté, se contentant de fixer le rétroviseur. « Vous devez être fatigué », ai-je continué, il a fait non de la tête.

« Pas du tout, mais alors pas du tout !

— Si vous voulez, nous pouvons rebrousser chemin, vous savez !

— Rebrousser chemin ? Comment ça ?

— Eh bien…

— Non, continuons ensemble. Jusqu'au bout.

— Quoi ? »

Le maître serait-il en train de divaguer ? Mine de rien, j'ai guetté son expression, mais il est comme d'habitude. Impassible et serein. Sa serviette est posée à côté de lui et il se tient droit. Pendant que je restais incapable d'interpréter sa réponse, Satoru a dévalé la côte, il était avec quelqu'un.

L'autre est le sosie de Satoru. Les deux gouttes d'eau ont ouvert ensemble le coffre de la voiture et ont monté sans effort les paquets en haut du chemin. A peine les croyait-on partis qu'ils faisaient à nouveau leur apparition, et se mettaient à fumer ensemble à côté de la voiture.

« Bonjour ! » a lancé le nouveau à notre intention, et la copie de Satoru a pris place à côté du conducteur.

« Celui-là, c'est mon cousin Tôru. » Satoru a fait les présentations. Ils se ressemblent vraiment en tout. La figure, la physionomie, la carrure, peut-être même l'air qu'ils expirent, tout se ressemble.

« Il paraît que vous aimez le Sawanoi ? » dit le maître. Alors, Tôru se tourne vers l'arrière sans enlever sa ceinture de sécurité et il répond d'un air joyeux :

« Eh oui, vous l'avez dit !

— Encore que le saké de Tochigi est meilleur ! » ont poursuivi en chœur Satoru et Tôru, en se retournant vers nous d'un même mouvement. La voiture commençait à grimper la route de montagne. En même temps que le maître et moi poussions des cris, l'avant de la voiture a heurté le parapet.

« C'est malin ! » a dit Tôru du ton de celui qui ne s'en fait pas du tout. Satoru a redressé le volant en riant. Le maître et moi avons de nouveau poussé un soupir. On percevait dans la montagne des cris assourdis d'oiseaux.

« Vous avez l'intention d'escalader la montagne dans cette tenue ? »

Il y avait environ une demi-heure que nous roulions depuis que Tôru était monté, quand Satoru a coupé le moteur. Satoru, Tôru et moi, nous sommes en jeans avec des chaussures de sport. Une fois descendus de la voiture, ils se sont dégourdi les jambes en faisant quelques mouvements de gymnastique. J'en ai fait autant. Seul le maître se tient sans bouger, droit comme un I. Il porte une veste et un pantalon de tweed et il est chaussé de chaussures de cuir. Le tissu est un peu usé, mais la coupe semble de bonne qualité.

« Vous allez vous salir ! a continué Tôru.

— Ça n'a aucune importance, a répondu le maître, en faisant passer sa serviette de la main droite à la gauche.

— Vous ne voulez pas laisser votre serviette ? a demandé Satoru.

— Non, ce n'est pas nécessaire », a répondu le maître avec le plus grand calme.

Sans plus attendre, nous avons commencé à gravir un sentier. Les deux cousins ont le même genre de sac à dos. Leurs sacs sont nettement plus grands que le mien, conçus pour les randonnées en montagne. Tôru monte en tête, Satoru ferme la marche.

« Ça grimpe ferme, hein ? a dit Satoru derrière nous.

— Euh, oui, plutôt ! » ai-je répondu. Alors Tôru a dit exactement de la même voix que son cousin, en continuant à diriger notre file :

« On va monter en douceur, hein, en douceur ! »

Par moments, on entend un chant, *tarararara, tarararara*. Le maître avance d'une allure régulière sans s'essouffler ou presque. Quant à moi, ma respiration se fait de plus en plus haletante. Les *tarararara* s'intensifient.

« C'est un coucou ? » interroge le maître. Tôru se retourne et répond :

« Non, ça, ce n'est pas un coucou, c'est un pic-vert. Mais je n'en reviens pas que vous connaissiez cette espèce !

— Ce que nous entendons, c'est le bruit que fait le pic-vert quand il picore le tronc des arbres, pour attraper les insectes.

— En somme, c'est un oiseau tapageur ! » a ajouté Satoru en riant, derrière nous.

Le chemin devenait de plus en plus raide. Il n'était pas plus large qu'un de ces sentiers qu'empruntent les bêtes de la forêt. De chaque côté, les herbes de l'automne foisonnent et nous frôlent au passage le visage ou les mains. Au pied de la montagne, les arbres n'ont pas encore commencé à rougeoyer, mais ici, le feuillage a pris des teintes cuivrées ou dorées. L'air est très frais, pourtant je me suis mise à transpirer. C'est que d'ordinaire je ne prends pas d'exercice. Jetant un regard vers le maître, je constate qu'il a un air dégagé, sa serviette à la main, il marche avec aisance.

« Vous faites souvent des randonnées en montagne ?

— Tsukiko, voyons, cette promenade ne mérite pas le nom de randonnée !

— Ah bon.

— Ecoutez ! On entend le bruit que fait le pic-vert quand il dévore un insecte ! »

On avait beau vouloir me faire participer, je continuais à avancer tête baissée. Tôru (mais

64

c'était peut-être Satoru : j'avais la tête baissée et je ne me rendais pas compte d'où venait la voix) a dit : Vous êtes drôlement en forme ! Et Satoru (mais c'était peut-être Tôru) m'a encouragée : Enfin, Tsukiko, vous êtes bien plus jeune que le maître ! Courage ! J'avais l'impression que le chemin n'en finissait pas de monter. Dans l'intervalle des *tararara*, se mêlaient des *chichichi, ryuryuryuryuryu, kururururu*.

« On y est presque, non ? » a dit Tôru. Satoru a répondu : « Sûr que ça doit être par ici ! » Tôru a brusquement quitté le sentier. Il dévale une pente où il n'y a pas la moindre trace de pas. Dès qu'on s'est écartés du chemin, l'air est devenu brusquement dense.

Tôru s'est retourné et a dit : « Il y en a ! Alors, regardez bien à vos pieds ! »

Satoru a ajouté par-derrière : « Faites attention de ne pas marcher dessus ! »

Le sol est tout humide. Au bout de quelques pas, l'herbe se fait plus rare et cède la place à un foisonnement d'arbustes. La pente s'adoucit, les herbes qui gênaient la marche ont disparu, avancer devient un jeu d'enfant.

« J'ai trouvé quelque chose ! » a crié le maître. Tôru et Satoru se dirigent lentement de son côté.

« Eh bien, ce n'est pas courant ! a déclaré Tôru en s'accroupissant.

— C'est ce qu'on appelle un champignon astomycète ? a demandé le maître.

— L'enveloppe est encore grosse !

— Ça doit être une larve, mais de quoi, alors ça ! »

Ils n'en finissent pas de discuter. A voix basse, j'ai répété : « Parasites animaux, végétaux parasites ? » Alors le maître a tracé sur le sol à l'aide d'une branche quatre grands *kanji* : *Tô-chû- ka- sô*, HIVER INSECTE ÉTÉ HERBE.

« Tsukiko, je suppose que vous n'écoutiez pas non plus les cours de biologie ? m'a-t-il dit avec reproche.

— Mais personne ne nous a jamais appris ça pendant les cours ! » J'avais pris une voix pointue et Tôru a éclaté de rire.

« A l'école, on n'apprend jamais les choses vraiment importantes ! » dit-il en riant. Le maître a sagement écouté la déclaration de Tôru dans une posture très correcte, mais bientôt il a énoncé avec lenteur : « L'homme peut apprendre beaucoup de choses quel que soit l'endroit, vous savez, à condition d'y mettre le cœur !

— Il est rudement marrant, votre prof, dites donc ! » a dit Tôru, qui est reparti à rire un bon moment. Le maître a sorti de sa serviette un sac en plastique, il a mis dedans la chenillette avec précaution avant de refermer le sac. Puis il a fait disparaître le tout dans sa serviette.

Satoru a lancé : « Allez, cette fois, on s'enfonce plus loin. Il faut qu'on ramasse de quoi se gaver, sinon, ce n'est pas drôle ! » Et il s'est frayé un chemin à travers les arbres. Nous n'avons pas reformé de file, nous avancions au petit bonheur en regardant à nos pieds. La veste de tweed du maître se mêlait au feuillage, ce qui produisait un effet de mimétisme, tout comme les animaux qui prennent la couleur de leur environnement pour se protéger. Alors que je croyais qu'il était à portée de main, soudain je ne le voyais plus dès que mon regard le quittait. Quand, surprise, je le cherchais, je le découvrais juste à côté de moi.

« Vous étiez là ! » disais-je en guise d'appel. Alors, d'une voix mystérieuse :

« Je ne vais nulle part ! Houhouhou… » répondait-il. Dans la forêt, le maître m'est apparu différent de celui que je connaissais. Je lui trouvais un air familier des lieux, l'air d'un être vivant qui habitait dans ces bois depuis longtemps.

Je l'ai appelé de nouveau. Je me sentais perdue.

« Tsukiko, ne vous ai-je pas dit que j'étais toujours près de vous ? »

Peut-être, c'est ce qu'il dit, mais cela ne l'empêche pas d'avancer sans s'occuper de moi ! « Tsukiko, vous n'avez vraiment pas de persévérance ! C'est la preuve de votre relâchement habituel ! » Il finissait toujours par en arriver là.

Tarararara! On l'entend tout près. Le maître a disparu dans les arbres. Moi, je le suis vaguement des yeux. Qu'est-ce que je fais là au fait? Le tweed du maître se cache dans les feuillages, se montre de nouveau. De loin, j'ai entendu la voix de Satoru qui disait: « Il y a des coprins! Il y en a tout un plant, ils sont beaucoup plus nombreux que l'an dernier! » La voix claire de Satoru (mais c'est peut-être Tôru) s'entend au loin.

La cueillette des champignons (2)

Je regardais le ciel.

Je m'étais assise sur un grand tronc coupé.
Satoru, Tôru et le maître s'étaient enfoncés dans
le sous-bois. Le *tararararara* s'entendait encore à
cet endroit, mais beaucoup plus éloigné. Pour
compenser, l'oreille percevait des *rururururu*
aigus.

L'endroit était gorgé d'humidité. Non seulement le sol était doux comme une éponge, mais
les feuilles, les herbes, toute la matière vivante
dont il était constitué, les innombrables parcelles
de vie, les insectes qui rampaient sur la terre,
ceux dont les ailes leur permettaient de se balancer dans l'air, les oiseaux qui se posaient sur les
branches, le souffle enfin des animaux plus gros
qui vivaient au fond des bois, donnaient l'impression de gonfler l'atmosphère.

Le ciel ne laissait qu'un pan à découvert.
C'est un ciel qui se découpe entre les troncs des
arbres, qui donnent sa forme à la forêt. Les
troncs d'arbres sont comme les mailles d'un filet

qui recouvrirait le ciel. Une fois que les yeux se sont accoutumés à la pénombre, on aperçoit une multitude de présences à la surface du sol. De minuscules champignons orange. De la mousse. Quelque chose de blanc et rêche comme des nervures. Est-ce une sorte de moisissure ? Des scarabées morts. Toutes sortes de fourmis. Des scolopendres. Des phalènes, posées sur l'envers des feuilles.

C'était une expérience totalement étrange pour moi de me retrouver ainsi entourée d'êtres vivants. A la ville, j'étais toujours seule, parfois avec le maître, et je m'imaginais que cette réalité seule existait. Tôkyô n'était peuplé que de gros êtres vivants. Voilà ce que je me disais. Je savais en même temps qu'à condition d'aiguiser mon attention, j'étais sans doute possible entourée de toutes sortes d'êtres vivants. Le maître et moi, rien que nous deux, ça n'existait pas, ça n'avait jamais existé. A l'*izakaya*, je n'avais vu que le maître. Mais il y avait aussi Satoru. De même qu'il y avait les nombreux visages familiers des clients. Pourtant, je n'avais jamais pris conscience qu'ils étaient chacun une personne, avec sa vie à elle. Jamais je n'avais songé qu'ils étaient, tout comme moi, des gens qui vivaient des heures variées.

Tôru est revenu.

« Ça va, Tsukiko ? m'a-t-il demandé en me montrant les champignons qu'il avait plein les bras.

— Ça va très bien, ne vous faites pas de souci », ai-je répondu. Il m'a dit :

« Alors, vous auriez dû venir avec nous !

— Vous savez, Tsukiko est quelqu'un de rien moins que sentimental en fait ! » C'était bien la voix du maître, qui surgissait comme par enchantement d'un fourré. J'ignore si c'était à cause du mimétisme de son vêtement ou s'il avait une démarche vraiment souple, mais je ne l'avais absolument pas senti approcher.

Et d'ajouter : « Ce qui explique qu'elle en a sûrement profité pour rester seule ici et s'abîmer dans ses pensées ! » Des feuilles mortes étaient accrochées ici et là au tissu de tweed.

« Ce qu'on appelle le romantisme d'une jeune fille, quoi ! a risqué Tôru en riant aux éclats.

— Mais oui, parfaitement ! ai-je répondu sans me troubler.

— Demoiselle Tsukiko consentirait-elle à aider à la préparation du déjeuner ? a demandé Tôru, qui a sorti du sac à dos de Satoru une marmite en aluminium et un camping-gaz.

— Soyez gentille, allez prendre de l'eau ! » Je me suis levée précipitamment. On m'avait dit qu'il y avait une source un peu plus haut ; j'ai donc grimpé, et entre des rochers ruisselants, de l'eau jaillissait. J'ai tendu la paume et approché mes lèvres. Elle était glacée, mais douce en même temps. J'ai refait le même geste, sans me lasser.

« Goûtez-moi ça un peu ! » Satoru s'adressait au maître qui était convenablement assis sur les talons, le dos bien droit, sur un journal étalé par terre, et qui a avalé une gorgée de bouillon aux champignons.

Satoru et Tôru s'étaient occupés avec brio des champignons cueillis. Tôru les débarrassait de la terre ou de la boue, Satoru coupait les gros, laissait tels quels les petits, puis il les a fait revenir dans une petite poêle qu'ils avaient apportée. Une fois passés à la poêle, il les a jetés dans l'eau bouillante de la marmite, a ajouté du miso et les a laissés mijoter quelques instants.

« Figurez-vous qu'hier soir, j'ai quelque peu étudié la question des champignons, a commencé le maître tout en soufflant sur l'espèce de gamelle en zinc qu'il tenait dans ses mains, du genre de celles qu'on utilisait autrefois dans les cantines.

— On n'est pas prof pour rien, hein ? a répondu Tôru en continuant à aspirer son bouillon avec délectation.

— Les champignons vénéneux sont beaucoup plus nombreux que je ne l'imaginais ! » Disant cela, le maître a saisi un morceau de champignon avec ses baguettes et l'a mis dans sa bouche.

« Euh, oui, c'est assez vrai, acquiesce Satoru qui vient de terminer sa première bolée et, louche en main, s'apprête à se servir un deuxième bol.

— Enfin, je pense que ceux qui ont vraiment l'air vénéneux, on n'a pas envie de les porter à la bouche…

— Arrêtez ! Pas quand on est en train de manger, s'il vous plaît ! »

Mais j'ai beau le supplier, le maître ne s'incline pas. C'est son habitude.

« Cependant, ça ne doit pas être toujours simple, car il paraît que le bolet amer ressemble à s'y méprendre au *matsutake* et puis il y a aussi l'armillaire couleur de miel, qui a exactement le même aspect que le *shiitake*… »

Satoru et Tôru ont fini par éclater devant le ton sentencieux du maître.

« Ecoutez, tels que vous nous voyez, ça fait vingt ou trente ans qu'on ramasse des champignons, et on n'en a jamais pris de bizarres comme ceux dont vous parlez, vous pouvez nous faire confiance ! »

Mes baguettes un instant réticentes ont repris le chemin de l'écuelle en zinc. J'ai levé les yeux vers Satoru et Tôru, craignant qu'ils n'aient remarqué l'hésitation de mes baguettes, mais ni l'un ni l'autre ne semblent y avoir pris garde. Et pour cause…

« A la vérité, je connais quelqu'un, une femme avec qui j'étais marié, qui a mangé une fois un champignon hilarant et… a commencé le maître, accaparant ainsi de son côté toute l'attention des deux cousins.

— Comment ça, *une femme avec qui j'étais marié* ? Qu'est-ce que ça veut dire, ça ?

— Ça veut dire que ma femme est partie, il y a de cela environ quinze ans », explique-t-il du même ton compassé. J'ai poussé un petit cri de surprise. Moi qui croyais que sa femme était morte ! J'imaginais que Satoru tout comme Tôru seraient surpris, mais rien de ce genre ne se lit sur leur visage. Voici ce que le maître nous a raconté, en aspirant à petites gorgées la soupe aux champignons.

« Ma femme et moi allions souvent faire des randonnées. Je crois bien que nous avons fait tous les endroits un peu montagneux, ou presque, qui se trouvent à une heure de train. Tôt le dimanche matin, nous montions dans un train où il n'y avait encore que peu de voyageurs, avec un pique-nique qu'elle avait préparé. Ma femme adorait lire des livres du genre *Les plaisirs des randonnées à pied en campagne*. En couverture, on voyait la photo d'une femme qui, une canne à la main, gravissait un chemin de montagne, chaussée de grosses chaussures de cuir, vêtue d'une culotte d'alpiniste, avec sur la tête un chapeau orné d'une plume d'oiseau. Ma femme partait toujours en balade dans le même accoutrement que sur la couverture du livre, jusqu'à la canne. J'avais beau lui faire remarquer que ce genre de tenue n'avait pas grand sens dans la mesure où nous allions seulement faire un peu de marche à pied, elle répliquait que *s'initier à quelque chose commence par le respect de la forme* et n'a jamais voulu en démordre. Même quand les autres marcheurs étaient chaussés de sandales à semelle de caoutchouc, elle n'a jamais renoncé à sa tenue. C'était quelqu'un de très obstiné.

A cette époque, mon fils allait déjà à l'école, je pense. Et nous allions toujours marcher tous les trois ensemble. C'était exactement au même moment de l'année que maintenant. Il y avait eu une longue période de pluie, la montagne avait pris de magnifiques teintes rouges, mais beaucoup de ces belles feuilles écarlates étaient tombées, frappées par la pluie. Je portais de simples chaussures de sport, et j'ai trébuché à deux reprises, en m'enfonçant dans la boue. Ma femme, elle, avec ses chaussures de montagne, avançait sans la moindre difficulté. Je dois reconnaître qu'elle n'a jamais cherché à montrer sa supériorité. Têtue, oui, mais sans la moindre trace de méchanceté ou de mauvais esprit.

Après avoir marché pendant un certain temps, nous avons fait halte et nous avons mangé chacun deux rondelles de citron macérées dans du miel. Les choses acides, ce n'est pas vraiment mon fort, mais comme ma femme prétendait qu'il n'y avait pas de randonnées en montagne sans citron au miel, je n'allais pas l'ennuyer en protestant. D'ailleurs, à supposer que j'aie refusé d'en manger, elle ne se serait pas fâchée pour autant, mais de même que les vagues engendrent au large une lame énorme à laquelle on ne s'attendait pas, la colère qui imperceptiblement s'accumule peut avoir un effet imprévisible sur la vie quotidienne… La vie conjugale, c'est à cela que ça ressemble, je crois.

Mon fils détestait encore plus que moi le citron. Dès qu'il avait mis dans sa bouche les tranches de citron au miel, il se levait et marchait vers les buissons. Il se mettait à ramasser consciencieusement les feuilles mortes qui jonchaient le sol. C'est un garçon qui a du raffinement, ai-je pensé, et j'ai voulu faire comme lui, ramasser des feuilles mortes. Je me suis approché, il était en train de creuser un trou, mine de rien. En vitesse, il creuse, vite, il crache les rondelles de citron, vite, vite, il referme le trou. Il faut croire qu'il avait une véritable aversion pour le citron. Ce n'était pas un enfant à gâcher la nourriture. Ma femme l'avait bien élevé.

J'ai demandé à mon fils : Tu détestes ça à ce point ? Il a eu un mouvement de surprise, puis a hoché la tête en silence. Papa aussi, tu sais ! ai-je ajouté, et il a souri d'un air rassuré. Quand il souriait, il ressemblait beaucoup à sa mère. Encore à présent, il lui ressemble beaucoup. Cela me fait penser que quand ma femme est partie sans laisser de traces, elle avait cinquante ans, c'est l'âge que va bientôt atteindre mon fils.

Mon fils et moi, nous nous sommes accroupis pour ramasser les feuilles en vitesse, et ma femme nous a rejoints. Avec ses grosses chaussures de montagne, on n'a même pas entendu le bruit de ses pas ! Mon fils et moi avons sursauté en l'entendant nous appeler par-derrière. Figurez-vous que j'ai trouvé des champignons hilarants ! Elle nous a murmuré sa découverte à l'oreille. »

A quatre, la soupe aux champignons qui m'avait paru énorme a été vite engloutie. La saveur en était ineffable, et le goût très complexe en raison de la grande variété de champignons qui y mêlaient leur parfum. C'est le maître qui a utilisé l'adjectif « ineffable ». Au milieu de la conversation, il a dit brusquement :

« Satoru, cet arôme qui se dégage est proprement ineffable ! »

Tournant les yeux vers le maître, Satoru a répondu : « Ça vous ressemble tout à fait de parler ainsi ! » et il a incité le maître à poursuivre son récit. « Alors, qu'est-ce qui s'est passé avec les fameux champignons ? » Et Tôru d'ajouter : « Au fait, comment elle a fait son compte pour savoir que c'étaient des champignons hilarants ? »

« Ma femme, en plus du livre *Les plaisirs des randonnées autour de Tôkyô*, ne se séparait jamais d'une sorte de petit dictionnaire des champignons, du genre *Tout savoir sur les champignons*. Avant de partir en randonnée, elle ne manquait jamais de fourrer dans son sac à dos ces deux volumes. Cette fois encore, tout en ouvrant son dictionnaire à la page *champignon hilarant*, elle a répété avec insistance : C'est bien ça, il n'y a pas de doute, c'est bien ce champignon !

Admettons. Et alors, qu'est-ce qu'on fait ? ai-je demandé.

Quelle question ! On les mange, voyons ! a-t-elle répondu.

Es-tu bien sûre qu'ils ne sont pas vénéneux ?

Maman, je t'en prie !

Ma question et la prière de mon fils ont été presque simultanées, mais ma femme a été plus rapide encore, et sans même se donner la peine d'enlever un peu de la terre qui recouvrait le chapeau, la voilà qui enfourne un champignon dans sa bouche. Tout en faisant remarquer : Cru, ce n'est pas évident ! en même temps, elle a avalé une tranche de citron macéré dans du miel. Depuis cet incident, ni mon fils ni moi n'avons plus jamais mangé de citron au miel.

La suite a été mouvementée. Pour commencer, mon fils s'est mis à pleurer.

Maman va mourir ! criait-il entre ses larmes.

On ne meurt pas pour avoir mangé un champignon hilarant, tu sais ! Ma femme, sans se départir de son calme, tentait d'apaiser mon fils.

Moi, entraînant de force ma femme qui rechignait, j'ai repris en sens inverse le chemin par lequel nous étions arrivés, décidé à l'emmener dans un hôpital dès que nous aurions redescendu la montagne.

Alors que nous étions presque parvenus au pied de la montagne, les premiers symptômes ont fait leur apparition. Même une petite quantité comme celle-là suffit à déclencher les symptômes, a déclaré tranquillement le médecin de l'hôpital, mais j'ai eu pour ma part l'impression que les effets étaient assez considérables.

Ma femme qui jusque-là était restée absolument maîtresse d'elle-même a commencé à émettre des pouffements, d'abord espacés, puis de plus en plus suivis, en un mot, elle s'est mise à rire. Je dis rire, mais il ne s'agissait en aucune façon d'un rire joyeux ou plaisant. C'était un rire qu'elle ne pouvait réprimer malgré tous ses efforts pour l'endiguer, comme si le corps n'obéissait plus, alors qu'en pensée, elle tentait de se dominer. C'était la voix de celui qu'un humour noir fait ricaner à n'en plus finir.

Mon fils était épouvanté, moi, je perdais mes moyens, quant à ma femme, les yeux remplis de larmes, elle n'en finissait pas de rire.

Ça ne s'arrête pas, ce rire ? ai-je demandé, tandis que mon fils prenait sur lui, et ma femme de répondre d'un air douloureux : Noon, ma gorge, mes joues, ma poitrine, rien ne m'obéit plus ! sans pour autant cesser de rire. Quant à moi, j'étais en colère. Pourquoi donc cette femme qui était la mienne était-elle toujours la cause de problèmes ? Pour commencer, ça ne me plaisait pas tellement, cette façon de partir en randonnée tous les dimanches, pour dire la vérité. C'était la même chose pour mon fils. Je savais à quel point il aurait été heureux de rester tranquillement à la maison à fabriquer des maquettes, ou encore d'aller pêcher à la rivière pas loin, que sais-je. Pourtant, soumis au désir de ma femme, nous nous levions tôt le dimanche et nous parcourions les sentiers de montagne de la région de Tôkyô, selon son bon plaisir. Et cela ne lui suffisait pas, il fallait encore qu'elle mange des champignons vénéneux !

Le médecin m'a appris avec nonchalance qu'une fois que le poison s'était infiltré dans le sang, les soins n'étaient pas d'une grande effi- cacité, pour ne pas dire pratiquement inopé- rants. En effet, comme il l'avait dit, l'état de ma femme ne s'est guère amélioré après le traite- ment. En fin de compte, son rire n'a pas cessé jusqu'à la fin de la journée. Nous avons pris un taxi pour rentrer, j'ai enfoui dans son futon mon fils qui, épuisé par les larmes, avait fini par s'endormir, et tout en regardant de travers ma femme qui riait de son côté dans le living, j'ai infusé du thé très fort. Elle a avalé son thé en riant, moi, j'ai bu dans la colère.

Enfin, les effets du poison ont commencé à se dissiper, ma femme a retrouvé son état normal, et moi, je lui ai fait un sermon. Est-ce que tu te rends compte à quel point tu as causé de l'embarras à tout le monde en cette seule journée ? Je l'ai sûrement sermonnée comme jamais je ne l'avais fait. Exactement comme si je m'adressais à mes élèves. Ma femme a écouté, la tête basse. Elle approuvait chacune de mes paroles. Je ne saurais dire combien de fois elle s'est excusée. A la fin, elle a dit d'un ton pénétré : Vivre, en fait, c'est causer du tort à quelqu'un…

Pas du tout. Moi, je ne cause de tort à personne ! C'est toi, personne d'autre, qui as ennuyé tout le monde ! Ne généralise pas, je te prie, ce qui n'est qu'un problème personnel ! J'étais en rage. Ma femme a de nouveau baissé la tête. Quand elle s'est enfuie, plus de dix ans après, c'est cette image d'elle qui m'est revenue à la mémoire, ma femme, les yeux baissés. Oui, c'était une personne à problèmes, mais je ne suis pas si différent. Moi qui croyais que nous étions complémentaires, à la manière de ces marmites fêlées qui trouvent quand même le couvercle qui leur convient ! Il faut croire que je n'étais pas le couvercle qu'il lui fallait… »

« Allons, buvons, hein? » Et Tôru a pris dans son sac à dos la bouteille de Sawanoi. C'était une demi-bouteille. Il ne restait plus une goutte de soupe aux champignons, mais Tôru, tel un sorcier, s'est mis à sortir du sac toutes sortes de victuailles. Champignons secs. Biscuits salés. Seiche fumée. Tomates fraîches. Bonite séchée.

« C'est un véritable festin! » a-t-il déclaré. Satoru et lui ont avalé plusieurs gorgées de leur gobelet de saké, avant de croquer une tomate.

« Quand on mange une tomate, on ne s'enivre pas », disent-ils. Et ils continuent de boire.

« Vous croyez que ça ira, la voiture? » ai-je demandé au maître à voix basse. A quoi le maître a répondu :

« Si je calcule bien, ça fait un flacon par personne, ça devrait aller. » Déjà réchauffée par la soupe aux champignons, je suis devenue brûlante avec le saké. Les tomates sont un délice. Sans mettre de sel, j'ai croqué à même le fruit. Il paraît qu'elles proviennent du jardin de Tôru. Le maître avait calculé un flacon par personne, mais voilà que Tôru a sorti du sac à dos une deuxième bouteille. On en est donc à deux flacons par tête.

Tarararara. De nouveau, la petite chanson du pic-vert au travail. Sous le journal étalé, des insectes parfois se faufilent. Je perçois leur mouvement à travers le papier. Des insectes ailés,

82

certains de belle taille, arrivent en bourdonnant et se posent. La plupart s'assemblent autour de la seiche fumée et du saké. Tôru ne cherche pas vraiment à les chasser, et il continue à manger et à boire.

« Vous venez d'avaler un insecte à l'instant ! » fait remarquer le maître à Tôru, qui répond sans se démonter : « C'était très bon ! »

Les champignons secs n'étaient pas aussi durs que les *shiitake* habituels. Ils avaient conservé une certaine humidité. On m'a dit de considérer ça comme de la viande fumée. J'ai demandé quel champignon c'était, et Satoru qui est déjà tout rouge me répond : « C'est le champignon qu'on appelle *benitengutake*, quelque chose comme la fausse orange.

— Il n'est pas vénéneux ? a demandé le maître.

— Vous avez consulté votre fameuse encyclopédie du champignon ? » a demandé Tôru, en souriant d'un air moqueur. En guise de réponse, le maître a sorti le livre de sa serviette. Il a une couverture désuète et usée. Elle représente un champignon au chapeau énorme, rouge et piqué de points noirs, qui a tout l'air du *benitengutake*.

« Tôru, est-ce que vous connaissez cette histoire ?

— Quelle histoire ?

— A propos de la Sibérie. »

« Il y a longtemps, les chefs d'une peuplade des hauteurs mangeaient de ce champignon avant de partir au combat. Tout simplement parce qu'il renferme une substance qui provoque un état de transe. Celui qui en a mangé éprouve un état d'excitation extrême, comme de la fébrilité, et une force prodigieuse qui, bien que normalement passagère, peut persister des heures durant. Après que le chef avait mangé de ce champignon, l'homme qui avait rang immédiatement après lui buvait son urine. Et ainsi de suite. Grâce à la répétition de ce geste, la substance du champignon pénétrait dans le corps de chacun des membres de la tribu. » Et le maître de conclure : « Il paraît que lorsque le dernier homme avait bu l'urine, ils donnaient l'assaut.

— Dites donc, on dirait que l'encyclopédie du champ… du champignon, ça sert à quelque chose ! » a dit Satoru en riant d'un air excité. Il mordille une lamelle de champignon séché.

« Vous aussi, tous les deux, mangez-moi ça ! » Et Tôru nous a mis dans la main des morceaux séchés. Le maître a examiné le champignon d'un air méfiant. Moi, j'ai respiré l'odeur craintivement. Tôru et Satoru riaient tous les deux bruyamment sans raison. Tôru a commencé : « Pour tout dire… » et Satoru a éclaté de rire. Une fois calmé, c'est Satoru qui a repris : « Bref… » Cette fois, c'est Tôru qui éclate. Tous les deux entament : « Eh bien, voilà… » et tous les deux s'esclaffent.

La température avait monté. Alors que l'hiver était proche, de l'herbe entourée par les arbres montait une chaleur moite. Le maître buvait à petites gorgées. Entre deux gorgées, il mordillait un bout de champignon.

J'ai demandé : « C'est un champignon vénéneux pourtant, vous ne craignez rien ? » Le maître a souri. Tout en disant quelque chose comme : « Ma foi, je n'en sais rien », il avait un beau visage tranquille.

« Tôru, Satoru, est-ce que c'est vraiment un *benitengutake* ?

— Vous n'y pensez pas ! Bien sûr que non, voyons !

— Si, si, authentique ! »

Tôru et Satoru ont répondu simultanément. Je n'arrive pas à distinguer lequel des deux a fait telle ou telle réponse. Le maître continue de sourire. Il mordille, lentement, les morceaux de champignon.

« Une marmite fêlée. » Les yeux fermés, il a prononcé ces mots. « Comment ? » ai-je demandé. Il a répété : « Un couvercle pour une marmite fêlée. Tsukiko, vous aussi, mangez ! » Il m'a ordonné de manger d'un ton légèrement « professoral ». Craintivement, j'ai passé la langue sur un morceau, mais je n'ai trouvé qu'un goût de poussière. Tôru et Satoru rient. Le maître regarde au loin, il sourit. Enervée, j'ai enfoui dans ma bouche des morceaux de champignon séché et j'ai mâché avec obstination.

Nous avons continué à boire ainsi pendant une heure environ, mais rien de particulier ne s'est produit. Nous avons rassemblé nos affaires et avons refait le chemin en sens inverse. Tout en marchant, j'étais prise de l'envie de rire, de l'envie de pleurer aussi. J'avais perdu toute notion de l'endroit où je me trouvais. C'est sûrement parce que je suis ivre. Satoru et Tôru marchent devant exactement à la même allure, présentant leurs silhouettes de dos rigoureusement identiques. Le maître et moi marchons côte à côte et nous rions. Est-ce que vous aimez toujours votre femme qui vous a quitté? dis-je dans un murmure. Le rire du maître s'est fait plus bruyant. Ma femme continue d'être pour moi un être inestimable, dit-il avec une expression un peu grave, avant de rire à nouveau. Autour de moi, une quantité invraisemblable d'êtres vivants emplissent l'air de leur bourdonnement. Je ne comprends absolument pas pourquoi je me trouve dans un pareil endroit.

Nouvel an

Je me suis plantée.

Le néon de la cuisine a grillé. C'est un tube qui fait plus d'un mètre de long. J'ai apporté une chaise haute et je me suis haussée sur la pointe des pieds pour essayer de l'enlever. Ce n'était pas la première fois qu'il grillait, j'étais censée savoir comment le dévisser, mais il y avait de ça quelques années et j'avais totalement oublié.

Me voilà en train de pousser, tirer, rien à faire pour l'enlever. J'ai bien essayé avec un tournevis d'ôter le tube en même temps que le support, mais il était retenu au plafond par des fils rouges et bleus. Le support est conçu pour qu'on ne puisse pas le détacher.

Puisque c'est comme ça ! et j'ai tiré dessus comme une forcenée, avec pour seul résultat de le casser. Des débris de verre ont jonché le sol devant l'évier. Pour comble de malchance, je me suis coupé la plante des pieds en descendant précipitamment de ma chaise. Du sang vermeil a giclé. Apparemment, l'entaille était plus profonde que je ne l'avais cru.

La surprise m'a fait aller dans la pièce à côté pour m'asseoir, mais l'instant d'après, j'ai été prise d'un vertige. Est-ce que j'allais m'évanouir ?

Tsukiko, la seule vue du sang vous cause une faiblesse ? Vous êtes bien délicate ! C'est certainement ce que me dirait le maître en riant. Mais le maître ne vient jamais chez moi. Il n'y a que moi qui vais parfois lui rendre visite. A force de rester assise sans bouger, mes paupières sont devenues lourdes. Cela m'a rappelé que je n'avais rien mangé depuis le matin. J'avais passé ma journée de congé à rêvasser, enfouie dans mon futon. C'est toujours ce qui se passe, quand je reviens chez moi après avoir passé les fêtes du nouvel an dans la maison familiale.

C'est dans le même quartier, mais je ne sais pas, ça ne me réussit pas de me retrouver dans cette maison où je ne viens que rarement, avec ma mère, mon frère et sa femme, mes neveux et nièces braillards. Ce n'est pourtant pas parce que je m'entends dire que je devrais me marier, arrêter de travailler, non, on n'en est plus là. Il y a beau temps que j'ai cessé de ressentir ce genre de malaise quand je me retrouve en famille. Simplement, je me sens gênée aux entournures. C'est un peu comme quand on choisit un vêtement parmi d'autres qui sont censés convenir parfaitement à vos mesures, il y en a un dans lequel on nage, tel autre qui est trop long et dont le bord traîne par terre. La surprise vous fait retirer le vêtement, mais quand vous le mettez simplement devant vous, pas d'erreur, il est parfaitement à vos mesures. Oui, c'était quelque chose comme ça.

Le 3 janvier, tandis que mon frère était parti avec sa petite famille présenter ses vœux, ma mère m'a fait un tôfu chaud pour le déjeuner. Depuis toujours, j'aime sa façon de le préparer. En général, ce n'est pas un plat très apprécié des enfants, mais moi, avant d'être en âge d'aller à l'école, j'adorais déjà celui que confectionnait ma mère. Elle mettait à cuire le tôfu dans une marmite en terre, en même temps qu'une petite tasse où elle avait mélangé de la sauce de soja avec du saké et de la bonite séchée fraîchement râpée. Quand la marmite avait suffisamment chauffé, elle soulevait le couvercle. S'en échappait alors une épaisse vapeur qui s'élevait dans l'air. A l'aide de baguettes, elle découpait en morceaux le tôfu grossier et dense qu'elle avait mis à chauffer sans le couper. Il fallait absolument qu'il vienne de chez le marchand au coin de la rue. Or justement le marchand rouvrait le 3 janvier. Voilà ce que ma mère m'expliquait en s'affairant à la cuisine.

Je me régale ! C'était un cri du cœur. C'est vrai que tu aimes ça depuis que tu es toute petite !

Ma mère aussi avait une expression de joie. Je n'arrive jamais à le faire aussi bon ! Tu m'étonnes ! Pour commencer, ce n'est pas le même tôfu. Là où tu habites, on n'en trouve pas de cette qualité !

Puis la conversation s'arrête. Moi aussi, je me tais. En silence, nous avons activé nos baguettes, trempant les morceaux de tôfu dans la sauce de soja au saké. Ni l'une ni l'autre n'avons plus rien ajouté. Etait-ce que nous n'avions rien à nous dire ? Ou bien le contraire ? Brusquement, nous ne savions plus quoi dire. Alors que nous étions proches, précisément parce que nous étions proches, nous ne pouvions nous rejoindre. Dès que je me forçais à parler, j'avais l'impression de tomber la tête la première du haut d'un précipice qui se serait trouvé juste à mes pieds.

Tsukiko, cette impression, je crois par exemple que c'est celle que j'aurais s'il m'arrivait de tomber par hasard sur ma femme après ces longues années. Mais de là à l'éprouver uniquement parce qu'on est revenue dans une maison qui se trouve dans le même quartier... Ne pensez-vous pas, Tsukiko, que vous exagérez un peu ? Le maître, probablement, parlerait ainsi.

Ma mère et moi avons, semble-t-il, le même caractère. Et malgré ce que dit le maître, il n'en reste pas moins vrai que nous avons été toutes deux incapables de poursuivre normalement notre conversation. Jusqu'au retour de mon frère et de sa famille, nous sommes restées dans notre impuissance, évitant de nous regarder. Le pâle soleil de cet après-midi de nouvel an éclairait l'extrémité du *kotatsu*[1] à travers la galerie extérieure. J'ai débarrassé la table, apporté à la cuisine marmite, assiettes et baguettes, et c'est ma mère qui a fait la vaisselle. Tu veux que j'essuie ? Ma mère a fait signe que oui. Levant légèrement la tête, elle a eu un sourire gauche. A mon tour, j'ai eu un sourire gauche. Puis, côte à côte, nous avons rangé la vaisselle.

Le 4 janvier, je suis rentrée chez moi et je n'ai fait que dormir pendant les deux jours qui me restaient jusqu'à la reprise du travail, fixée au 6. Un sommeil différent de celui que j'avais connu dans la maison de ma mère m'a enveloppée. C'est un sommeil peuplé à l'infini de rêves.

Après deux jours de travail, je me suis une nouvelle fois trouvée en congé. Comme je n'avais plus sommeil, je me contentais de rester à traîner dans mon futon. J'avais placé à portée de main une bouilloire de thé avec une tasse, un livre et quelques revues, et allongée, je feuilletais les pages des magazines en sirotant mon thé. J'ai mangé une ou deux mandarines. L'intérieur du futon était un peu plus chaud que la température

1. Système de chauffage incorporé dans une partie du plancher, sous les tatamis. Remplacé de plus en plus souvent par une table basse chauffante, démontable ou non.

de mon corps. Je m'assoupissais très vite. Le sommeil ne durait pas longtemps, et je me remettais à feuilleter une revue. J'en avais oublié de manger.

Assise sur le futon que j'avais laissé tel quel sans le ranger, j'ai mis du papier toilette sur la blessure de ma plante de pied qui continuait à saigner, et j'ai attendu que le vertige se passe. Mon champ visuel est comme un écran de télévision sur le point d'éclater. Il est strié de lignes lumineuses qui clignotent. Je me suis allongée sur le dos et j'ai posé la main à l'endroit du cœur. Les battements de mon cœur et les pulsations du sang qui coule près de ma blessure sont légèrement décalés.

Quand le tube de néon a sauté, il faisait encore un petit peu jour. La sensation de vertige ne disparaissait pas, je n'arrivais pas à me rendre compte si la nuit était tombée tout à fait ou si c'était encore le crépuscule.

De la corbeille de pommes placée à côté de mon oreiller s'élevait leur odeur. Dans l'air froid de l'hiver, la senteur se faisait plus forte que d'habitude. J'ai l'habitude de peler les pommes après les avoir coupées en quatre, mais ma mère enlève la peau en passant délicatement le couteau autour du fruit tout rond, me suis-je souvenue dans ma tête vague. Un jour, j'ai pelé une pomme pour mon ancien amant. Pour commencer, la cuisine n'a jamais été mon fort, et même si c'était le cas, ça ne me disait rien de lui préparer des repas froids ou d'aller jusque chez lui pour lui concocter des petits plats, non plus que de l'inviter à dîner pour lui faire goûter ma cuisine. Je craignais, en agissant ainsi, de me trouver prise au piège. Je voulais aussi éviter à tout prix que l'autre puisse s'imaginer que je cherchais à le retenir prisonnier. Il suffisait que cela me soit égal, à moi, de ne pas pouvoir m'échapper, mais justement je n'arrivais pas sans mal à faire que cela me soit indifférent.

Quand j'ai pelé la pomme, mon amant a été stupéfait. Toi aussi, il t'arrive de peler une pomme ! Il a dû dire quelque chose dans ce genre. Je sais faire ça, figure-toi. Oui, au fond. Evidemment, qu'est-ce que tu crois ! Quelque temps après cette conversation, nous nous sommes quittés. Ce n'est pas que l'un de nous deux ait pris l'initiative. Nous avons peu à peu cessé de nous téléphoner. Nous ne nous détestions pas pour autant. A force de rester sans nous voir, le temps a fini par passer.

Une amie m'a dit : « Le moins qu'on puisse dire, c'est que tu ne t'en fais pas. Tu ne sais pas qu'il m'a téléphoné je ne sais combien de fois pour me demander mon avis ! Il se demandait ce que tu pensais vraiment de lui. Pourquoi ne lui as-tu donc pas téléphoné ? Il attendait ton appel, tu sais ! »

Mon amie plongeait ses yeux dans les miens. Pourquoi ne m'avait-il pas parlé à moi, pourquoi avoir demandé conseil à une de mes amies ? J'étais sidérée. Son attitude m'était incompréhensible. Je l'ai dit à mon amie, sans ambages. Elle a soupiré et murmuré seulement : « Enfin… Enfin, quand on est amoureux, on est inquiet, non ? Tu n'es pas comme ça, toi ? »

Ça n'a rien à voir. Son angoisse, il devait la confronter avec moi, c'est moi qui étais concernée ! S'adresser à une tierce personne, une amie à moi, quelle erreur grossière !

Je suis vraiment désolée. Tu as dû être bien embarrassée. Nous n'étions pas sur la même longueur d'onde. A me voir proférer des mots d'excuse, mon amie a poussé un soupir encore plus profond que tout à l'heure. Longueur d'onde, tu parles ! Longueur d'onde, qu'est-ce que ça veut dire…

A ce moment-là, cela faisait déjà trois mois que j'avais cessé de voir mon amant. Jusqu'à la fin, mon amie a continué à énumérer toutes sortes d'arguments, mais moi, ça me passait à moitié au-dessus de la tête sans m'atteindre. J'étais persuadée au fond de moi que je n'étais pas faite pour connaître l'amour. Si l'amour était quelque chose d'aussi encombrant, je ne me sentais pas tellement l'envie d'en faire l'expérience. A peine six mois plus tard, mon amie épousait mon amant.

La sensation de vertige s'est estompée. J'ai pu distinguer le plafond. L'ampoule de la chambre n'est pas grillée, mais elle n'est pas encore allumée. Dehors, il faisait nuit. Je sentais la froideur de l'air à travers la vitre. Dès que le jour tombe, la température fraîchit brusquement. Voilà ce qui arrive quand on reste à traînasser au lit, on se souvient des choses passées. La blessure de mon pied avait pour ainsi dire cessé de saigner. J'ai appliqué un gros sparadrap, enfilé des chaussettes, chaussé des mules, et j'ai nettoyé le sol devant l'évier.

Les débris de verre, qui réfléchissent la clarté de la lampe de la pièce voisine à présent allumée, étincellent. En vrai, cet homme, j'étais très amoureuse de lui. J'aurais dû, à ce moment-là, lui téléphoner. J'avais vraiment envie de l'appeler. Mais à seulement imaginer que peut-être, à l'autre bout du fil, j'entendrais une voix ironique et indifférente, mon corps devenait de glace. L'idée ne m'effleurait pas que lui aussi se disait exactement la même chose. Quand je l'ai appris, nos sentiments avaient pris une tournure bizarre, et ils sont restés refoulés tout au fond de notre cœur. J'ai assisté dans les règles au mariage de mon amant avec mon amie. Au cours d'un discours prononcé par un invité, il a été question d'un « amour voulu par le destin », ou quelque chose de ce genre.

Un amour voulu par le destin. Tout en écoutant le discours, les yeux tournés vers mon amant et mon amie assis sur une estrade, j'ai pensé que je n'avais pas une chance sur mille pour qu'une telle histoire d'amour visite ma vie.

J'ai eu envie de manger une pomme et j'en ai pris une dans la corbeille de fruits. J'ai essayé de la peler comme le fait ma mère. La spirale qui se déroulait s'est brusquement cassée. En même temps, des larmes ont roulé sur mes joues. J'étais stupéfaite. Tout de même, je n'étais pas en train d'éplucher un oignon ! Je pleurais à cause d'une pomme. Tandis que je croquais dans le fruit, j'ai continué à pleurer. Entre chaque bouchée, mêlé au crissement de mes dents qui mordaient dans la chair pulpeuse, j'entendais le bruit que faisaient mes larmes en rebondissant sur l'acier de l'évier. Debout devant l'évier, mangeant et pleurant à la fois, je ne savais plus où j'en étais.

J'ai mis un gros manteau et je suis sortie. Il y a des années que je le porte. Il est lourdaud. Vert foncé, vraiment sans élégance, mais chaud. Quand on a pleuré, on a plus froid que d'habitude. Après avoir fini ma pomme, j'étais restée à frissonner dans ma chambre, mais j'en ai eu bientôt assez. Sous un ample chandail rouge que je porte aussi depuis plusieurs années, j'ai enfilé un pantalon en laine marron. J'ai échangé les chaussettes que j'avais aux pieds pour des chaudes, j'ai enfilé des gants, mis des chaussures de sport à semelle épaisse, et je me suis retrouvée dehors.

Les trois étoiles d'Orion se dessinaient nettement dans le ciel. J'ai marché, droit devant moi. J'ai marché, avec allant. Au bout d'un moment, j'ai senti mon corps qui se réchauffait un peu. Un chien a aboyé à mon passage et les larmes me sont venues aux yeux. J'allais sur mes quarante ans, et j'étais comme une petite fille. J'ai marché en balançant les bras largement, comme le font les enfants. Chaque fois que je trouvais sur mon passage une canette vide, je donnais un coup de pied dedans. J'ai aussi cassé plusieurs brindilles mortes le long du chemin. Des bicyclettes s'approchaient de moi, venant de la gare. J'ai failli heurter un cycliste qui roulait feux éteints et il m'a invectivée. De nouveau, mes yeux se sont remplis de larmes. J'avais envie de m'asseoir là pour renifler à mon aise. Mais le froid m'a fait renoncer.

J'étais redevenue un enfant. Je me suis plantée à un arrêt de bus. Au bout de dix minutes, toujours aucun bus en vue. J'ai jeté un œil sur l'horaire, le dernier autobus était déjà passé. Je me suis sentie encore plus abandonnée. Je suis restée un moment à piétiner. Je n'arrivais pas à me réchauffer. En pareil cas, les grandes personnes savent comment s'y prendre pour se réchauffer. Mais comme j'étais pour l'heure un enfant, j'ignorais ce qu'il fallait faire.

J'ai marché en direction de la gare. Ce chemin auquel mes yeux étaient habitués me paraissait inconnu. Je me retrouvais au temps de mon enfance lorsque, après avoir flâné un peu trop longtemps au retour de l'école, le soir tombait et que le chemin qui me conduisait à la maison me semblait tout à fait différent de celui que je connaissais.

J'ai murmuré le nom du maître. S'il vous plaît, je me suis perdue.

Mais le maître n'était pas là. Où se trouvait-il, le maître, un soir comme celui-ci ? Cela m'a fait penser que pas une fois je ne lui avais téléphoné, au maître. C'est toujours par hasard que nous nous rencontrons, toujours sans l'avoir prévu que nous marchons ensemble. Sans m'annoncer, je vais le trouver, sans l'avoir décidé, nous buvons ensemble. Nous restons parfois plus d'un mois sans nous parler ni nous voir. Avant, si je restais un mois sans parler au téléphone avec mon amant, si je ne le voyais pas, je devenais folle d'inquiétude. Dans cet intervalle où je ne le voyais pas, n'allait-il pas disparaître comme si je l'avais effacé ? N'allait-il pas devenir un inconnu ?

Le maître et moi, nous ne nous voyons pas très souvent. C'est naturel après tout, nous ne sommes pas amants. Même quand je ne le vois pas, je n'ai pas l'impression qu'il est loin. Le maître reste toujours le maître. Ce soir aussi, il est présent, il ne peut pas en être autrement.

Sentant la détresse m'envahir, je me suis mise à chanter. J'ai commencé par *Dans la douceur printanière la Sumida*, mais la température ne s'y prêtait vraiment pas et j'ai arrêté en chemin. J'ai fouillé dans ma mémoire à la recherche d'une chanson hivernale, mais je n'ai rien trouvé. Enfin, m'est venu aux lèvres *Les cimes argentées brillent dans le soleil levant*, une chanson de sport d'hiver. Elle ne s'accordait pas du tout avec mon humeur, mais comme je n'en connaissais pas d'autre, j'ai chanté quand même.

Volent les flocons de neige
    voltige la brume,
Tralala moi aussi je tourbillonne
    je tourbillonne

Je me souvenais très bien des paroles. Non seulement le premier couplet, mais même le deuxième. J'ai été stupéfaite de constater que je me rappelais si bien le refrain : *Oh! le plaisir de glisser sur la neige, l'effort récompensé! plaisir d'initié!* Je me sentais un peu mieux, et j'ai entamé le troisième couplet, mais je n'arrivais pas à me souvenir de la fin. Alors que tout s'était si bien passé jusqu'à *Le ciel est bleu, la terre est blanche*, les quatre derniers vers refusaient de venir. Rien à faire.

Je me suis immobilisée dans l'obscurité, absorbée dans mes pensées. De temps en temps, je vois des gens approcher, qui viennent de la gare. Ils passent près de moi en m'évitant. A voix basse, je commence à fredonner le troisième couplet, les gens s'écartent de plus belle.

Je n'arrivais pas à me souvenir, et j'ai eu de nouveau envie de pleurer. Mes jambes se sont mises d'elles-mêmes à bouger, les larmes se sont mises d'elles-mêmes à couler. On m'appelait : « Tsukiko ! » mais je ne me suis pas retournée. De toute façon, ça ne pouvait être qu'une voix que j'entendais dans ma tête. Que le maître apparaisse juste à ce moment, c'était trop beau, il valait mieux ne pas y compter.

Tsukiko ! De nouveau, on m'appelait.

Je me suis retournée, le maître était devant moi. Il portait un manteau souple et chaud, avec à la main son éternelle serviette, et il se tenait bien droit.

Mais, comment se fait-il, qu'est-ce que vous faites ici ?

Je me promène. Quelle belle soirée !

Etait-ce vraiment lui que j'avais devant moi ? Furtivement, je me suis pincé le dessus de la main. Aïe ! Pour la première fois de ma vie, j'ai compris pourquoi on éprouve le besoin de se pincer quand on croit rêver.

Maître ! Je l'ai appelé. A quelques pas de lui, je l'ai appelé doucement.

Tsukiko! En guise de réponse, il a seulement prononcé mon nom.

Nous sommes restés un moment l'un en face de l'autre, dans l'obscurité. Peu à peu, mes larmes ont cessé de couler. Comme je craignais qu'elles ne s'arrêtent pas, j'ai été soulagée. J'osais à peine imaginer ce que j'aurais entendu si j'avais montré mes larmes au maître.

Tsukiko. Vous savez, la fin, c'est comme ça : *Lalala la colline au loin nous appelle*. Comment, mais vous connaissez cette chanson pour les skieurs ? Lui aussi, avant, il s'était essayé au ski.

Je me suis remise à marcher à côté du maître. Ensemble nous nous sommes dirigés vers la gare. Mais vous savez, les jours fériés, Satoru est fermé. Le maître s'est contenté d'acquiescer, le regard fixé devant lui. Ce n'est pas plus mal, parfois, d'aller ailleurs. Tsukiko, c'est la première fois que nous boirons ensemble cette année. Mais oui, au fait, Tsukiko, bonne année !

Nous sommes entrés dans l'*odenya*[1] qui est juste à côté du troquet de Satoru, avec ses lanternes rondes et rouges suspendues à l'entrée, et nous nous sommes assis sans enlever nos manteaux. Nous avons commandé de la bière et nous avons soufflé un moment. Tsukiko, vous me faites penser à quelque chose. Le maître à son

---

1. Petit restaurant qui sert des variétés de pâtés de poisson, des légumes bouillis destinés à accompagner le saké.

tour a avalé d'un trait son verre de bière, et il a continué, oui, quelque chose, j'ai le mot sur le bout de la langue pourtant.

J'ai commandé un tôfu chaud, le maître une grillade de thon mariné. J'y suis, Noël ! Vous me faites penser à un arbre de Noël, avec votre manteau vert, votre pull rouge et votre pantalon marron ! Il avait parlé un peu fort. Pourtant, la nouvelle année est déjà commencée, ai-je répondu. Vous avez peut-être passé les fêtes de Noël en compagnie de votre ami ? me demande-t-il. Pas du tout. Vous n'avez donc pas d'ami de cœur ? Peuh ! Des amis de ce genre, j'en ai un, deux, dix même ! Je vois, je vois.

Sans attendre, nous sommes passés au saké. J'ai soulevé le flacon tout chaud et j'ai rempli la coupe du maître. La chaleur a brusquement envahi mon corps et j'ai eu de nouveau envie de pleurer. Mais je n'ai pas pleuré. Par contre, j'ai bu, c'était bien préférable. Maître, je vous prie d'accepter tous mes vœux pour la nouvelle année. J'ai dit ça d'une traite, et il a ri. Bravo, Tsukiko, vous avez été parfaite. Je vous félicite. Tous mes compliments. En même temps, il a posé la main sur ma tête. Tandis que le maître me caressait les cheveux, moi, j'ai avalé mon saké à toutes petites gorgées.

Renaissances

Dans la rue, je suis tombée sur le maître alors que je ne m'y attendais pas du tout.

J'étais restée à traînasser au lit jusqu'au début de l'après-midi. Il faut dire que depuis un mois, j'ai eu beaucoup de travail. Quand j'arrivais enfin chez moi, il était toujours près de minuit. Plusieurs jours de suite, je me suis écroulée de sommeil, sans même prendre de bain, me contentant de me frotter énergiquement le visage. Même le week-end, j'allais au bureau, pas toujours mais presque. Comme je mangeais n'importe quoi, j'avais une mine tirée. Je suis très gourmande, et si je ne peux pas manger tranquillement autant que je veux, toute vitalité m'abandonne. Je prends une expression sinistre.

La veille, vendredi, cette agitation démente s'est enfin calmée. Ce samedi matin, c'était ma première grasse matinée depuis longtemps. Quand j'ai ainsi dormi tout mon saoul, j'emporte un magazine à la salle de bain et je me plonge dans la baignoire remplie à ras bord. Je me lave les cheveux, et je m'immerge encore et encore dans l'eau chaude dans laquelle j'ai versé quelques gouttes de parfum. J'ai déjà parcouru environ la moitié de la revue, et je sors de temps en temps du bain pour me rafraîchir. Sans mentir, j'ai bien passé plus de deux heures dans la salle de bain.

Je vide la baignoire, je donne un coup en vitesse et, avec seulement une serviette autour de la tête, je déambule toute nue dans l'appartement. C'est surtout à ces moments-là que je songe au bonheur de vivre seule. J'ai ouvert le frigidaire et pris une bouteille d'eau gazeuse. Je remplis un verre à moitié et je bois comme si j'arrivais du désert. Cela me rappelle que je détestais l'eau pétillante quand j'étais jeune. Je devais avoir un peu plus de vingt ans quand j'ai fait un voyage en France avec une amie. Nous avions soif et nous sommes entrées dans un café. Nous voulions seulement boire de l'eau et nous avons commandé « de l'eau », mais on nous a apporté de l'eau gazeuse. Au moment d'avaler le liquide censé rafraîchir mon gosier desséché, j'ai eu un haut-le-cœur et j'ai failli tout recracher. J'avais soif. Il y avait de l'eau devant moi. Mais dans le liquide dansaient de petites bulles, c'était une eau péniblement dure. J'avais beau vouloir boire, ma gorge s'y refusait. Comme je ne savais pas dire en français que je désirais de l'eau plate, je me suis résignée à accepter un peu de l'eau citronnée que mon amie s'était fait apporter. Elle était sucrée. J'ai presque ressenti de la haine pour cette douceur. A cette époque, j'avais un autre style de vie que maintenant, je ne savais pas apaiser ma soif avec de la bière.

C'est après trente-cinq ans que je me suis mise à aimer l'eau gazeuse. J'ai pris l'habitude de boire des whisky-soda ou de l'eau-de-vie de saké additionnée d'eau de Seltz. Insensiblement, les bouteilles d'eau gazeuse Wilkinson, vertes et élancées, se sont installées à demeure dans le frigidaire. Profitant de l'occasion, ont pris place à côté plusieurs bouteilles de ginger ale, toujours des Wilkinson. Elles sont destinées à ceux de mes amis qui ne boivent pas de saké et à qui il arrive parfois de venir me voir. Habillement, nourriture, ameublement, dans l'ensemble je ne me préoccupe pas des marques, mais l'eau gazeuse, j'ai décidé qu'il fallait que ce soit Wilkinson. La principale raison, c'est que j'en trouve chez le marchand de saké à deux minutes à pied de chez moi, pas la peine de chercher plus loin. Ce n'est donc qu'un hasard, et s'il m'arrivait de déménager, s'il n'y avait pas de marchand de saké là où j'irais ou que l'épicier n'avait pas d'eau gazeuse Wilkinson, il est probable que je ne ferais plus mon quotidien de cette boisson. Ce n'est pas plus compliqué que ça.

Quand on se trouve en tête à tête avec soi-même, on remue toutes sortes de pensées. La firme Wilkinson, le lointain voyage en Europe pétillent dans ma tête comme des bulles et élargissent le cercle de leur danse. Je reste devant la glace, toute nue, et je me sens tourner à la mélancolie. Dans ces moments-là, exactement comme si je conversais avec quelqu'un à côté de moi, je cherche avec moi-même, cette forme qui est à mes côtés sans pour autant être présente, à m'assurer de ces choses qui se sont élargies comme une tache. Dans la glace en pied, mon corps nu n'offre pas la moindre résistance à la pesanteur et ne pénètre pas mon regard. Ce n'est pas avec mon moi visible que je converse, c'est avec celui qui reste invisible, celui qui flotte dans la pièce, semblable à des parcelles qui me donnent mon moi à pressentir.

Je suis restée chez moi jusqu'au crépuscule. J'ai passé le temps dans le vague, à feuilleter distraitement un livre. J'ai eu de nouveau sommeil et j'ai dormi peut-être une demi-heure. Quand je me suis réveillée, j'ai ouvert les rideaux, il faisait déjà sombre dehors. Selon le calendrier[1], on était au début du printemps, mais les jours étaient encore courts. Tant qu'à faire, je trouve plus agréables les journées d'hiver, si brèves qu'elles semblent vous chasser. Quand on se dit que de toute façon le jour va bientôt décliner, le cœur est

---

1. Dans l'ancien calendrier, le printemps commence vers le 4 février (en japonais, *risshun*, une des 24 subdivisions de l'année chinoise).

prêt à accueillir l'obscurité légère et élégante qui fait naître le regret. Maintenant que les jours ont rallongé suffisamment pour faire dire, tiens, il ne fait pas encore nuit, un peu plus et il fera nuit, on perd pied. Voilà, la nuit est tombée, et l'instant d'après, un sentiment de désolation s'empare de vous et vous enveloppe d'une solitude pesante et lancinante.

Donc, je suis sortie. Dans la rue, j'ai eu envie de m'assurer que je n'étais pas seule à vivre, qu'il n'y avait pas que moi qui éprouvais la tristesse de vivre. Mais à simplement regarder les gens qui passaient, comment aurais-je pu vérifier ce genre de choses ? Plus mon désir devenait violent, moins je me sentais sûre de rien.

C'est dans cet état que je suis tombée sur le maître.

« Tsukiko, mon derrière me fait souffrir ! »
Voilà ce que le maître a dit dès que nous nous sommes retrouvés côte à côte.

Comment ? De surprise, je jette un petit cri en le regardant, mais il n'a pas l'air d'avoir bien mal et garde un air indifférent. Mais enfin, pourquoi au derrière ? ai-je demandé, et il a remué la tête d'un air légèrement réprobateur.

« Ce mot est de ceux qu'une jeune femme ne doit pas utiliser ! » Avant même que j'aie eu le temps de dire, ah bon, qu'est-ce qu'il convient d'utiliser alors, le maître a énoncé : « Il y a un tas d'autres mots, postérieur par exemple, ou bien le bas des reins, que sais-je ? » Et il a ajouté : « C'est incroyable comme le vocabulaire des jeunes gens d'aujourd'hui s'est appauvri ! »

J'ai ri sans répondre. Le maître a ri à son tour.

« De ce fait, je crois préférable de ne pas aller ce soir chez Satoru. »

Comme de nouveau je ne comprenais pas, il a hoché un peu la tête.

« Si j'ai l'air de souffrir, il s'inquiétera, voyez-vous. Boire pendant qu'on se fait du souci pour vous, ce n'est pas dans mes intentions. »

Si c'était ça, je n'étais pas loin de penser que le plus simple était de ne pas aller boire du tout.

« Mais ne dit-on pas que frôler la manche de quelqu'un, c'est signe d'un lien, *tashô no en* !

— Si je comprends bien, entre vous et moi, c'est une relation du genre que vous appelez *tashô no en* ? » ai-je demandé. En guise de réponse, le maître m'a posé une question :

« Tsukiko, comprenez-vous la signification de l'expression *tashô no en* ?

— C'est-à-dire qu'il y a un lien, enfin, un petit lien, c'est ça ? » ai-je répondu après avoir réfléchi un instant. Les sourcils froncés, le maître a secoué la tête.

« Mais non, il ne s'agit pas de *tashô* dans le sens de *un peu*, c'est l'expression qui veut dire *plusieurs vies*, vivre en se réincarnant, voyons ! »

J'ai vaguement murmuré que je saisissais, mais décidément, le japonais n'était pas mon fort, ai-je dit en guise d'excuse.

« C'est parce que vous n'avez pas étudié sérieusement ! a-t-il déclaré d'un ton qui ne laissait pas place au doute. Eh bien, ce terme a son origine dans la pensée bouddhiste, selon laquelle tous les êtres vivants se réincarnent plusieurs fois ! »

Le maître est entré le premier dans l'*odenya* qui se trouve à côté du troquet de Satoru. Je me suis alors aperçue qu'en effet, il marchait légèrement penché en avant. Dans quelle mesure cette partie de son corps, derrière, postérieur, fesses ou autres, le faisait-elle souffrir ? L'expression de son visage ne me donnait aucune indication pour évaluer sa douleur.

Un flacon de saké bien chaud, s'il vous plaît ! a-t-il demandé, et à sa suite j'ai enchaîné : Une bouteille de bière ! Le saké et la bière sont arrivés immédiatement, et on nous a mis sur la table deux coupelles et deux verres. Nous nous sommes servis chacun de notre côté, puis nous avons trinqué.

« Le lien que j'évoquais à l'instant, ce *tashô no en,* c'est celui qui unit des êtres dans une vie antérieure.

— Dans une vie antérieure ? » J'ai élevé la voix malgré moi. Ainsi, le maître et moi, nous étions unis dans une autre vie ?

« Un être lié à un autre… Il en est de même pour chacun de nous, probablement », a répondu le maître avec un calme mesuré, tout en versant avec précaution du saké dans sa coupe qu'il n'avait pas vidée. A côté du comptoir, un client assis à une table, un homme jeune, n'arrêtait pas de nous regarder. Depuis que j'avais parlé d'une voix un peu trop forte, il ne cessait de nous observer. Il avait une oreille percée de trois boucles. Deux petites boules dorées, et tout en bas du lobe, une qui brillait à chaque mouvement.

« Vous croyez à la vie antérieure ? » ai-je demandé après avoir lancé du comptoir : « Une bouteille de saké bien chaud ! » Le client à côté faisait celui qui n'entendait pas.

« Oui, un petit peu. »

Je ne m'attendais pas à une réponse de ce genre. Comment, vous y croyez, vous, Tsukiko, à la vie antérieure ? Eh bien, mais vous êtes drôlement, disons, sentimentale ! J'aurais cru que le maître était plutôt du genre à me répondre sur ce ton.

« La vie antérieure, oui, enfin, le karma. »

Donnez-moi une tranche de radis noir, et puis une boulette de sardine, et puis aussi des tendons. Le maître a passé sa commande. Un rouleau de pâté de poisson, des crosnes, ah, et puis un morceau de radis noir pour moi aussi, s'il vous plaît. Je ne voulais pas être en reste. Le client à la table voisine a commandé des algues et du pâté de poisson. Pendant quelque temps, la conversation à propos du karma et de la vie antérieure s'est interrompue, et toute notre attention s'est concentrée sur la nourriture. Le maître, assis légèrement de travers, coupait à l'aide de ses baguettes le radis noir en morceaux à sa convenance, moi, penchée sur mon assiette, j'ai mordu dedans sans chercher à le couper. Le saké et la cuisine sont vraiment délicieux, ai-je dit. Le maître à ces mots m'a légèrement caressé les cheveux. Depuis quelque temps, j'ai remarqué que ce geste lui était habituel.

« J'aime bien les gens qui prennent du plaisir à manger », a-t-il dit en passant sa main sur mes cheveux. « On commande encore quelque chose, vous voulez bien ? » Il a dit oui. L'homme jeune a le visage cramoisi. Sur sa table, sont alignés trois flacons de saké apparemment vides. Devant lui, il y a un verre vide, peut-être a-t-il bu aussi de la bière. Sa respiration rauque parvient jusqu'à nous, et son ivresse semble près d'éclater.

« Vous êtes quoi, au juste, vous deux, là ? »

Tout d'un coup, il s'est mis à nous parler. Son assiette est presque intacte, il n'a fait que grignoter les algues et le morceau de pâté de poisson. Tout en se versant d'une quatrième bouteille de saké, il fait exprès de nous envoyer son souffle qui sent l'alcool. A son oreille, l'or brille délicatement.

« Je ne comprends pas votre question, a répondu le maître.

— Ben dites donc, vous ne vous en faites pas, tous les deux ! » a repris l'autre en riant. Il se mêle à ce rire une note indéfinissable. Comme celui qui aurait par mégarde avalé une fourmi et qui depuis ne pourrait plus rire du fond de la gorge, c'était un rire qui curieusement restait coincé.

« Qu'entendez-vous pas là ? a répliqué le maître d'un air grave.

— Je sais pas, moi, mais vous avez une sacrée différence d'âge et ça vous empêche pas de roucouler, on dirait ! »

Le maître a dû dire quelque chose comme « vraiment ? » d'un ton assuré et très calme, puis il s'est tourné vers l'homme et l'a regardé bien en face. J'ai senti à cet instant précis comme le bruit sec d'une claque. Je ne parle pas avec des gens de votre espèce. Le maître n'a pas prononcé ces mots, mais je suis certaine que dans sa tête, il a élevé la voix. Je l'ai senti, l'homme aussi semblait l'avoir senti.

« C'est dégoûtant, à votre âge ! » Tout en sachant que le maître ne lui répondrait plus rien, justement parce qu'il comprenait qu'il n'obtiendrait rien, l'homme s'est acharné.

« Ce vieux, il couche avec vous ? »

Il s'adresse à moi cette fois, par-delà le maître. Sa voix a traversé toute la salle. J'ai cherché à voir l'expression du maître, mais j'aurais dû savoir qu'il n'était pas homme à se démonter pour si peu.

« Combien de fois vous faites ça par mois, hein, je me demande ?

— Yasuda, arrête, je te prie ! » Le patron a tenté de s'interposer. L'ivresse de l'homme était bien plus profonde qu'il n'y paraissait d'abord. Son corps se balançait d'avant en arrière. Si le maître n'avait pas été assis entre nous, je lui aurais sûrement tapé dessus.

« Fous-moi la paix ! » a crié l'homme à l'adresse du patron cette fois, et il a fait mine de lui lancer son verre à la figure. Mais il était tellement saoul qu'il a manqué sa cible, et le saké est allé en grande partie sur son pantalon.

« Enfoiré ! » L'homme s'est remis à crier, tout en essuyant son pantalon avec la serviette que lui tendait le patron, la table aussi. Puis il s'est affalé sur le comptoir, et il s'est mis tout d'un coup à ronfler.

« Celui-là, il a vraiment le vin mauvais, ces derniers temps ! » a dit le patron en s'inclinant devant nous avec un geste d'excuse. Moi, j'ai murmuré une vague approbation, tandis que le maître s'est contenté de dire : « Encore un flacon, s'il vous plaît, bien chaud ! » de son ton habituel.

« Tsukiko, je suis vraiment désolé. »

L'homme est renversé sur le comptoir et continue à ronfler. Le patron tente à plusieurs reprises de le réveiller, sans succès. S'il reprend ses esprits, il s'en ira sur-le-champ, il est comme ça. Le patron nous a dit ça au passage, tout en allant prendre la commande à une table.

« Par ma faute, vous avez vécu une expérience infiniment déplaisante, pardonnez-moi. »

Non, je vous en prie, ne vous excusez pas. Voilà les mots que j'aurais voulu prononcer, mais aucun son n'est sorti. J'étais en colère, terriblement. Ce n'était pas pour moi. C'était parce que, à cause de moi, il avait été obligé de s'excuser, et que cela n'avait aucun sens.

Il ne va pas bientôt s'en aller, ce mec ? Je grommelais en le foudroyant du regard. Mais il n'en finit pas de ronfler, impunément, et ne bouge pas d'un pouce.

« Ça brille bien ! » a dit le maître.

Quoi ? Je ne comprenais pas. En souriant, il a pointé le doigt sur les boucles d'oreilles de l'homme. Oui, c'est vrai, elles brillent. J'avais perdu un peu mon fiel en répondant. Il m'arrive parfois de ne plus comprendre du tout quel genre d'homme est le maître. A mon tour, j'ai commandé un flacon de saké bien chaud, et j'ai renversé dans ma gorge le liquide bouillant. Je ne sais pas pourquoi, mais le maître continue à rire d'une voix étouffée. Je me demandais ce qui pouvait bien le faire rire ainsi. Sans un mot, je suis allée aux toilettes, et je me suis soulagée longuement. Je ne sais pas s'il y a un rapport, toujours est-il que quand j'ai repris ma place à côté du maître, je me sentais le cœur un peu plus léger.

114

« Tsukiko, voilà, ça y est ! »

Le maître a ouvert doucement sa main qu'il tenait fermée. Dans sa paume, quelque chose brillait.

« Qu'est-ce que c'est que ça ?

— Mais voyons, c'est ce qui brillait à son oreille, vous savez bien ! » Et le regard du maître a coulé vers l'homme en train de ronfler. A mon tour, j'ai regardé : la boucle qui pendait au lobe de son oreille, celle qui brillait avec le plus d'éclat, n'y est plus. Les deux petites en métal jaune sont toujours là, mais il n'y a plus rien à l'extrémité du lobe, seulement un petit trou, qui bée un peu.

« Vous l'avez prise ?

— Je la lui ai volée ! »

Il a une expression angélique.

« Mais, vous ne croyez pas que c'est mal de faire ça ? » J'ai beau tenter de lui faire entendre raison, le maître hoche la tête sans s'émouvoir.

« Dans les histoires d'Uchida Hyakken[1], il y en a une comme ça… commence-t-il.

Si je me souviens bien, la nouvelle s'intitule *Le voleur amateur*. Un homme ivre qui porte une chaîne en or se met à proférer des paroles blessantes. L'autre, même s'il n'était pas ivre de son côté, serait déjà irrité par l'attitude injurieuse de

---

1. Uchida Hyakken (1889-1971), romancier et essayiste, disciple de Sôseki.

l'ivrogne, mais son exaspération monte à force de voir se balancer la chaîne sur sa poitrine. Finalement, il la vole. Il la vole sans hésitation. N'allez surtout pas imaginer que c'est facile parce qu'il s'agit d'un homme saoul, il n'en est rien, car le voleur est ivre lui aussi, ils sont à égalité.

Voilà à peu près le contenu du récit. Décidément, Hyakken, c'est vraiment bien ! » Pendant la classe de japonais, oui, le maître avait toujours l'air heureux qu'il a maintenant. Je m'en souvenais à présent.

« C'est pour ça que vous avez pris la boucle ? » ai-je demandé. Pour toute réponse, le maître a secoué énergiquement la tête.

« Disons que c'est un peu comme si j'avais voulu imiter Hyakken ! »

Je m'attendais à ce qu'il me demande si je connaissais cet écrivain, mais il s'est abstenu. Le nom me disait vaguement quelque chose, mais je ne savais rien de précis. Cette histoire ne tenait pas debout. N'importe quoi ! Ivre ou pas, il ne faut pas voler. Pourtant, curieusement, le raisonnement se tenait. Peut-être que cette façon de « tenir », ça ressemblait au maître, dans une certaine mesure.

« Vous savez, Tsukiko, je ne l'ai pas volé dans l'intention de le punir, absolument pas. Je lui ai pris sa boucle d'oreille pour assouvir ma colère et mon indignation. Surtout, qu'il n'y ait pas de méprise à ce sujet ! »

Il n'y aurait pas de méprise, j'avais parfaitement compris. J'ai répondu avec gravité. Puis nous avons bu de plus belle. Nous avons vidé chacun de notre côté un flacon de saké, et après avoir payé notre part, nous avons quitté le restaurant.

La lune était lumineuse. Presque la pleine lune. Dites, est-ce que, est-ce qu'il vous arrive parfois de vous sentir triste ? Pendant que nous marchions côte à côte, regardant droit devant nous, l'envie de lui poser cette question m'est soudain venue.

« Quand j'avais mal au derrière, je me sentais triste, a-t-il répondu en continuant à regarder devant lui.

— Mais oui, au fait, votre derrière, enfin non, je veux dire le postérieur, le bas des reins, qu'est-ce qui vous est arrivé ?

— En voulant enfiler mon pantalon, je me suis pris le pied dans le revers, et je suis tombé de tout mon poids sur le derrière. »

Je n'ai pas pu m'empêcher d'éclater de rire. Le maître aussi, a eu un petit rire.

« Dire que j'étais triste est totalement insuffisant. La douleur physique est une chose qui engendre le désarroi de la façon la plus terrible !

— L'eau gazeuse, est-ce que vous aimez ça ? ai-je enchaîné.

— C'est ce qui s'appelle passer du coq à l'âne ! Si j'aime l'eau pétillante ? Eh bien, depuis longtemps, je bois de la Wilkinson, j'ai une prédilection pour cette marque. »

Vraiment ? J'en étais sûre ! Je regardais toujours devant moi en répondant.

La lune s'élevait très haut dans le ciel. Un nuage la voilait à peine. Le printemps était encore loin, mais il m'a semblé qu'il était devenu infiniment plus proche que tout à l'heure dans le petit restaurant.

« Cette boucle d'oreille, qu'est-ce que vous allez en faire ? » Le maître n'a pas répondu tout de suite, il réfléchissait.

« Je crois que je vais la ranger dans un tiroir. De temps en temps, je m'amuserai à la prendre pour la regarder, a-t-il enfin répondu.

— Vous voulez parler de la commode où sont rangées les théières en terre cuite, n'est-ce pas ? » Le maître a acquiescé gravement.

« En effet. C'est la commode où je range les objets qui correspondent à un événement mémorable, oui, les souvenirs.

— Ce soir, c'est une soirée mémorable ?

— J'ai volé. Il y avait fort longtemps que cela ne m'était pas arrivé !

— Au fait, maître, à quel âge avez-vous appris à voler ?

— Dans une vie ! Oui, dans une autre vie ! » a-t-il répondu avec un rire léger.

Nous avons continué de marcher lentement, dans l'air nocturne qui commençait doucement à sentir le printemps. La lune brillait avec un reflet d'or.

La fête des fleurs (1)

J'ai été intriguée quand le maître m'a annoncé :
« J'ai reçu une carte de madame Ishino. »

Madame Ishino est toujours professeur d'art
au lycée. A l'époque où j'y étais élève, elle
devait avoir environ trente-cinq ans. Elle nouait
toujours dans le dos sa superbe chevelure noire
et ondulée, et une blouse d'atelier jetée sur les
épaules, elle passait dans les couloirs d'un pas
léger. Très mince, elle donnait l'impression
d'une femme débordante d'énergie. Elle jouis-
sait d'une grande popularité parmi les élèves,
tant auprès des garçons que des filles, et la salle
de dessin était toujours envahie par les membres
de la section, qui avaient un air « pas comme les
autres » et venaient s'y retrouver après les
réunions.

Dès qu'un arôme de café filtrait à travers l'atelier qui était le repaire de madame Ishino, les
membres de la section venaient frapper à la porte.

« Qu'est-ce que vous voulez ? demandait-elle
de sa voix rauque.

— Soyez gentille, laissez-nous boire le café avec vous ! disait une voix à travers la porte, d'un ton délibérément confus.

— D'accord, d'accord », disait-elle en ouvrant la porte, et elle mettait dans les mains de l'élève qui attendait dans le couloir un siphon rempli de café frais. Parmi ceux qui bénéficiaient de sa mansuétude, il y avait le délégué, le sous-délégué ainsi que quelques élèves de terminale. Les plus jeunes n'avaient pas encore ce droit. Madame Ishino sortait ensuite de la salle, avec dans chaque main une grande tasse de style *Mashiko*[1] qu'elle avait cuite elle-même dans le four d'un ami potier, à ce qu'il paraît, et elle buvait avec nous. Puis, le dos tourné à moitié, elle faisait le tour des œuvres des membres de la section. Elle reprenait sa place et finissait d'avaler son café. Elle ne mettait pas de lait. C'est en pure perte que les élèves préparaient lait en poudre et sucre, car madame Ishino prenait toujours son café noir.

Une de mes camarades de ce groupe de dessin m'avait dit un jour, d'une voix vibrante, qu'elle souhaitait devenir plus tard une femme dans le genre de madame Ishino, si bien qu'il m'était arrivé plusieurs fois d'aller jeter un coup d'œil dans la salle. En fait, c'était un endroit où

_____

1. Mashiko, ville située dans le département de Tochigi, célèbre pour ses poteries, d'un usage répandu dans la vie quotidienne.

n'importe qui, même les gens qui n'appartenaient pas à la section, pouvait venir sans pour autant se sentir importun. La salle était accueillante et sentait l'éther, avec des relents de tabac.

Elle est plutôt chouette, non ? avait demandé mon amie, et moi, j'avais répondu par un euh, oui, assez. En réalité, je détestais le côté « *Mashikoyaki* fait main ». Le genre de madame Ishino elle-même et l'ambiance qui l'entourait, je ne peux pas dire que je les aimais pas particulièrement ou que je les détestais, mais la « poterie fait main » clochait. Je ne nourrissais cependant nulle haine à l'égard de cette poterie en elle-même…

Je n'ai suivi ses cours qu'en seconde. Je me souviens vaguement que j'avais dessiné au fusain une statue en plâtre et une nature morte à l'aquarelle. J'avais eu une note au-dessous de la moyenne. Quand nous étions encore au lycée, elle s'est mariée avec le professeur d'histoire et de géographie. Elle doit avoir environ cinquante-cinq ans maintenant.

Au bout d'un moment, le maître a dit : « C'est une invitation pour aller voir les cerisiers en fleurs ! »

Moi, pour toute réponse : Aah. Les cerisiers ?

« Comme tous les ans à la même époque. Quelques jours avant la rentrée[1], on se rassemble

---

1. La rentrée scolaire et universitaire a lieu au début d'avril.

sur le remblai devant l'école ! Que diriez-vous de venir aussi cette année, Tsukiko ? » dit le maître.

Une fois de plus, je réponds vaguement aah. Je dis, c'est une bonne idée, admirer les fleurs, mais mon ton indique que je ne suis pas du tout emballée. Le maître, sans paraître remarquer mon manque d'enthousiasme, ne détachait pas ses yeux de la carte.

« Décidément, madame Ishino a toujours une belle écriture ! » a-t-il dit. Puis il a ouvert avec soin la fermeture éclair de sa serviette et a glissé la carte dans l'une des poches. De nouveau, la fermeture éclair s'est refermée avec un petit bruit. Moi, je regardais ses gestes d'un air vague.

« C'est le 7 avril, n'oubliez pas ! » a précisé le maître en faisant un signe de la main à l'arrêt du bus. « Je ferai attention d'y penser. » J'ai répondu comme une élève, c'était comme si j'étais redevenue lycéenne. J'avais pris un ton désinvolte, sans conviction, un ton puéril.

Ce nom, Matsumoto, monsieur Matsumoto, j'ai beau l'entendre répéter, je n'arrive pas à m'y faire. C'est le nom du maître. Officiellement, il s'appelle Matsumoto Harutsuna. Il semble qu'entre eux les professeurs s'appellent en faisant précéder leur nom du titre « professeur », professeur Untel, professeur Unetelle. Matsumoto.

Kyôgoku. Honda. Nishikawahara. Ishino. Et ainsi de suite.

J'étais invitée, mais je n'avais aucune envie d'aller voir les cerisiers en fleurs. Je comptais me désister en prétextant que j'étais très occupée au bureau, bref une excuse de ce genre. Seulement voilà, le jour en question, le maître en personne est venu me chercher en bas de la maison où j'habite. Ce comportement ne lui ressemblait pas du tout. En tout cas, il n'était peut-être pas dans son état normal, mais ça ne l'empêchait pas d'avoir son éternelle serviette. Vêtu d'un manteau de demi-saison, il se tenait devant chez moi, plein d'assurance.

« Tsukiko, avez-vous pensé à prendre quelque chose pour vous asseoir par terre ? » Il est en bas de chez moi, en train de me poser des questions de ce genre. Il ne fait pas mine de monter jusqu'au premier, où se trouve mon logement. Il est là, un sourire aux lèvres, et il m'attend avec une assurance naïve, à mille lieues d'imaginer que je pourrais ne pas venir. Une telle innocence me désarme. Vaincue, je fourre dans un sac une espèce de plastique tout raide pour étaler par terre, je m'habille avec ce que je trouve à portée de main, j'enfile à moitié mes chaussures de sport qui n'ont pas été nettoyées depuis la cueillette des champignons avec Satoru et son cousin, et je descends l'escalier en faisant retentir les marches.

Sur le remblai, la fête bat déjà son plein. Les professeurs en activité, ceux qui n'exercent plus, et quelques anciens élèves, ont étendu des bâches tout le long et aligné dessus des bouteilles de saké et de la bière, à côté des victuailles que chacun a apportées. Eclats de rire et cris joyeux fusent de partout. Je n'arrive pas à cerner le noyau principal de la fête. Le maître et moi avons étalé le plastique par terre et salué toutes les personnes qui nous entourent, mais il en arrive sans arrêt de nouvelles, et nous avons dû faire de la place, sacrifiant d'autant notre sphère. Comme un arbre dont le feuillage s'élargit au fur et à mesure de l'éclosion des bourgeons, les gens venus admirer les fleurs recouvrent peu à peu l'espace entier.

Au bout d'un moment, un vieillard a élu domicile entre le maître et moi, le professeur Settsû, et le manège a continué : une jeune femme, madame Hotta, s'est installée entre Settsû et moi, ont pris place près d'elle Shibazaki et Onda, suivis par Kayama, et j'ai fini par ne plus du tout savoir qui était assis à côté de qui.

Quand mon attention s'est de nouveau reportée sur le maître, j'ai constaté qu'il buvait du saké à côté de madame Ishino, l'air de bien s'amuser. Il tenait à la main une brochette de poulet recouverte de sauce qu'il avait achetée dans la rue commerçante. Lui qui s'obstine à ne vouloir manger que des brochettes au sel, il était donc capable de se mettre au diapason dans ce genre de situation ! Intérieurement, je lui adressais des reproches tout en sirotant mon saké, toute seule dans mon coin.

Du haut du remblai, on apercevait la cour du lycée dont le sol se reflétait avec un éclat blanc. Les cours n'avaient pas commencé et l'école était plongée dans le calme. Rien n'avait changé depuis que j'y avais été élève. Seuls les cerisiers qu'on avait plantés tout autour du bâtiment avaient beaucoup grandi.

Tout à coup, on m'a interpellée : « Alors, Omachi, toujours pas mariée ? » J'ai levé la tête. Sans que je m'en rende compte, un homme d'âge mûr s'était assis à côté de moi. Tout en fixant les yeux sur moi qui avais relevé la tête, il a avalé d'un trait le saké qui emplissait son gobelet en carton.

J'ai répondu à toute vitesse : « Mariée dix-sept fois, divorcée dix-sept fois, je suis pour l'heure célibataire. » Ce visage me disait quelque chose, mais je n'arrivais pas à y mettre un nom. L'homme est resté un moment sans réaction, avant de partir à rire.

« Eh bien, voilà ce qui s'appelle une vie pas banale !

— Mais non, pas tant que ça. »

Derrière ce rire, se dissimulait vaguement la trace du temps du lycée. Oui, c'est ça ! Il faisait partie de la même section que moi. Il avait quelque chose de particulier, sa physionomie changeait complètement quand il se taisait et quand il riait. Voyons, comment s'appelait-il déjà ? J'avais son nom sur le bout de la langue, mais je n'arrivais pas à m'en souvenir.

« Eh bien, moi, je me suis marié une fois et j'ai divorcé une fois, c'est tout ! » a-t-il dit sans cesser de rire.

De mon côté, j'ai bu environ la moitié de mon gobelet. A la surface du saké, un pétale de cerisier, flotte.

« Si je comprends bien, chacun en a vu de toutes les couleurs, hein ? » Il parle toujours en riant, mais son visage déborde de chaleur. Je me suis rappelé son nom. Oui, il s'appelle Kojima, Kojima Takashi. On était dans la même classe en seconde et en première. On était dans les premiers numéros pour l'appel, et comme à la rentrée on distribuait les places en classe en fonction de ce numéro d'appel, on finissait toujours par se retrouver à des tables proches.

« Excuse-moi pour la plaisanterie de tout à l'heure ! »

Pour toute réponse, Kojima a secoué la tête et ri de nouveau.

« Ça me rappelle que c'était bien ton genre !

— Comment ça ?

— Eh bien, le genre à dire des choses extravagantes avec un air sérieux. »

126

Etais-je vraiment comme il le disait ? J'étais certaine au contraire que ça ne me ressemblait pas du tout de faire des plaisanteries ou de proférer des inepties. Pendant les récréations, seule dans un coin de la cour, il me semblait que j'étais plutôt du genre à renvoyer le ballon qui était tombé de mon côté…

« Toi, Kojima, qu'est-ce que tu fais dans la vie ?

— Je suis employé. Et toi ?

— Je travaille dans un bureau.

— Ah bon ?

— Eh oui. »

Un vent léger souffle. Les fleurs n'ont pas encore commencé à se faner, mais de temps à autre, portés par le vent, un pétale ou deux tombent au sol.

« Tu sais, j'étais marié avec Ayuko, a-t-il laissé tomber au bout d'un moment, tout de go.

— Hein ? »

Ayuko, c'était la fille qui m'avait dit qu'elle voulait devenir une femme comme madame Ishino, celle qui m'avait entraînée dans la salle de dessin. D'ailleurs, Ayuko lui ressemblait un peu. Petite, débordante d'énergie, laissant pourtant deviner parfois un côté romantique. Sans doute n'en avait-elle pas conscience. Mais cette teinte romantique avait attiré vers elle nombre de garçons. Elle recevait tout le temps des « déclarations d'amour » ou des « avances ». Mais elle

127

n'avait jamais accepté aucune proposition. Officiellement tout au moins. Le bruit courait aussi qu'Ayuko fréquentait un étudiant, à moins que ce ne soit quelqu'un qui travaillait déjà, mais quand nous rentrions ensemble de l'école et que nous bavardions en mangeant une glace, nulle trace d'une relation de ce genre n'était perceptible dans l'atmosphère qui émanait d'elle.

« Je n'étais pas du tout au courant !

— J'avoue que je ne l'ai dit à personne, ou presque. »

Kojima m'a expliqué qu'ils s'étaient mariés quand ils étaient encore étudiants et qu'ils s'étaient séparés au bout de trois ans.

« Vous vous êtes mariés très tôt !

— C'est parce qu'Ayuko attachait une grande importance aux conventions, elle ne voulait pas qu'on se contente de vivre ensemble. »

Kojima avait dû faire une année de plus à l'université pour décrocher son diplôme, ce qui fait qu'Ayuko avait commencé à travailler avant lui. Elle était tombée amoureuse de son patron, ils avaient eu une liaison, et pour finir, elle avait voulu divorcer. Kojima en parlait d'un ton égal, avec simplicité.

Je me suis rappelée qu'une fois, Kojima et moi, nous avions eu un rendez-vous. Je crois que c'était quand nous étions en première, au troisième trimestre. Oui, nous étions allés voir un film. Nous nous étions retrouvés dans une librairie, nous étions allés à pied jusqu'au cinéma et nous étions entrés avec les billets que Kojima avait achetés à l'avance. J'avais dit : « Je veux payer ! » mais Kojima avait refusé, disant qu'il avait eu les billets par son frère.

C'est le lendemain du rendez-vous que je m'étais souvenue que Kojima était censé ne pas avoir de frère.

Après le film, nous nous étions promenés dans un parc, et nous avions échangé nos impressions. Tout au long de la projection, Kojima s'était uniquement intéressé aux truquages, quant à moi, toute mon attention s'était portée sur les innombrables chapeaux que portait l'héroïne. Nous sommes passés devant un stand qui vendait des crêpes et Kojima m'a demandé si j'en voulais. J'ai répondu que je n'en avais pas envie, et il a eu un petit sourire en répondant : « Tant mieux, parce que moi, j'ai horreur des choses sucrées. » Nous avons mangé un hot-dog et des nouilles frites, en buvant un coca-cola.

En réalité, Kojima adorait les choses sucrées, ça, je l'ai su après avoir quitté le lycée.

« Et Ayuko, elle va bien ?

— Oui, et non contente d'avoir épousé son chef de bureau, elle habite dans une maison *two-by-four*[1] à deux étages, à ce qu'il paraît ! »

---

1. Méthode américaine de préfabriqué. Ces constructions évoquaient jusqu'à ces dernières années l'image stéréotypée d'une habitation moderne, dotée d'un certain standing.

J'ai répété : « Une maison *two-by-four* ?

— Hé oui, authentique ! » Une rafale de vent a déposé sur nous des pétales rosés.

« Tu n'as pas envie de te marier ? a demandé Kojima.

— Non, et puis les *two-by-four,* ce n'est pas vraiment mon truc, alors… ! » Kojima a ri. Nous avons vidé nos verres, saké et pétales confondus.

« Tsukiko, venez, s'il vous plaît ! » Le maître m'appelait. Madame Ishino aussi me faisait signe de les rejoindre. La voix du maître était joyeuse, imperceptiblement. J'ai fait semblant de ne pas entendre, tout occupée que j'étais à parler avec Kojima Takashi.

Celui-ci a eu beau me faire remarquer : « On t'appelle ! », je me suis contentée d'une réponse vague. Kojima avait les joues rouges. « Monsieur Matsumoto, moi, je ne l'aimais pas trop ! » Kojima avait parlé à voix basse. « Et toi ?

— Je ne me souviens pas très bien. » Kojima a hoché la tête en entendant ce que je lui répondais. « J'oubliais que tu es toujours ailleurs, toi. Comme si tu pensais à autre chose, oui, absente… »

Le maître et madame Ishino continuaient à me faire signe de venir. J'ai fait un geste pour remettre en place mes cheveux que le vent avait décoiffés et je me suis tournée dans leur direction. Au même instant, j'ai croisé le regard du maître.

« Tsukiko, venez donc vous joindre à nous ! »
a-t-il dit d'une voix forte. C'était cette voix que
j'entendais toujours en classe. Elle était radicale-
ment différente de celle que je lui connaissais
quand nous buvions ensemble, assis l'un à côté de
l'autre. Je lui ai tourné le dos, d'un geste de dépit.

« Tu sais, moi, madame Ishino, je l'admirais »,
m'a dit Kojima, avec un air mystérieux. Ses joues
sont encore plus cramoisies que tout à l'heure.

« Il faut dire qu'elle avait la cote ! ai-je répliqué en prenant soin de rester objective.

— Ayuko parlait tout le temps d'elle avec
passion, tu te rappelles ?

— C'est vrai.

— Alors moi, à force, je me suis mis de la
partie. »

Se mettre de la partie, c'était tout à fait Kojima,
ça. J'ai versé du saké dans son gobelet. Kojima a
poussé un léger soupir, et il a bu une ou deux
gorgées.

« Madame Ishino, elle est toujours aussi bien !

— C'est vrai. » Ne pas s'emballer. Intérieurement, je m'efforçais de ne pas me laisser aller
aux sentiments.

« Elle a bien la cinquantaine, non ? Je n'arrive
pas à y croire !

— C'est vrai. » Attention, ne pas s'emballer.

Le maître continue de parler avec madame
Ishino, avec enjouement, j'en suis certaine.
(Comme il me tourne le dos, je ne peux pas le

voir, mais j'en suis sûre.) Je n'entendais plus sa voix m'appeler par mon nom. Le soleil allait bientôt se coucher. On a allumé ici et là des lanternes. La fête pour célébrer les fleurs de cerisiers a redoublé d'animation, on commençait à chanter un peu partout.

« Tu ne veux pas qu'on aille boire tranquillement quelque part ? » a proposé Kojima.

Juste à côté, quelques anciens élèves plus âgés que nous ont entamé la chanson *Qu'elle était verte la vallée où nous courions le lapin*. J'ai répondu à voix basse : « Je ne sais pas. » Une femme de leur groupe avait lancé un vibrato si retentissant au passage *qu'elle était verte la rivière où nous pêchions le gardon* que Kojima n'a pas entendu ce que je disais, et approchant son visage du mien, il m'a demandé : « Qu'est-ce que tu dis ? Je n'entends rien ! »

Cette fois, j'ai répété plus fort : « Je ne sais pas. » Kojima a éloigné son visage du mien, et il a ri.

« Toujours la même, Omachi ! Tu y allais tout le temps de tes *je ne sais pas*, ou *j'hésite*. Décidément ! »

Etais-je vraiment comme ça ?

« En plus de ça, sûre d'elle ! Oui, tu disais ça comme si c'était une certitude ! »

Omachi était une fille bardée de certitudes, qui faisait du sur-place ! Kojima avait énoncé ce jugement de façon très plaisante.

Très lentement, j'ai fini par dire : « On y va ? »

La nuit était tombée à présent, les anciens élèves avaient terminé le troisième couplet de *Pays natal*. La voix du maître et celle de madame Ishino, traversant le tumulte, parvenaient de temps à autre à mes oreilles, fugitivement. Le maître avait une voix un peu plus aiguë que lorsqu'il parlait avec moi, elle, c'était la voix cassée que je lui connaissais. Je ne saisissais pas le contenu, j'entendais seulement les expressions affectives qui ponctuent la fin des phrases.

On s'en va ? Et je me suis levée. Kojima m'a observée tout le temps que je secouais la poussière avant de rouler à la diable le plastique que j'avais étendu par terre.

« Tu es plutôt brouillon, non ? » a-t-il dit. Eh oui, je suis brouillon. Il a ri à nouveau. C'est un rire chaleureux. J'ai jeté un œil du côté où se trouvait le maître, mais je n'ai rien distingué dans l'obscurité. Donne-moi ça, a dit Kojima en me prenant des mains le plastique, qu'il a défait puis replié avec soin. Où est-ce qu'on va ? ai-je demandé, laissant derrière moi ma place et celle de Kojima, et nous avons commencé à descendre l'escalier qui rejoint la route.

La fête des fleurs (2)

L'endroit où m'a emmenée Kojima Takashi, c'était un petit bar intime niché au sous-sol d'un immeuble.

« Je ne savais pas qu'il y avait des endroits comme ça près de l'école ! » ai-je dit. Kojima a hoché la tête.

« Bien sûr, à l'époque du lycée, je n'y venais jamais ! » Il avait répondu avec sérieux. Le barman a ri à ces mots. Le barman, c'était une femme. Quelques fils blancs se mêlent à ses cheveux qu'elle a soigneusement tirés en arrière, elle porte une chemise sans un pli et un tablier comme ceux que mettent les garçons de café.

« J'étais en train de me demander depuis combien d'années vous venez ici ! »

C'est la patronne. Madame Machida. Kojima fait les présentations tandis qu'elle pose devant nous une assiette de fèves. Elle a une voix douce et basse.

« Je suis venu souvent avec Ayuko.

— Oui, c'est vrai. »

Faut-il comprendre qu'ils se connaissent depuis longtemps ? Car enfin, logiquement, s'il est venu en compagnie d'Ayuko, c'est qu'ils n'étaient pas encore divorcés, et cela veut dire que Kojima Takashi fréquente ce bar depuis une vingtaine d'années.

Tourné vers moi, Kojima m'a demandé : « Omachi, tu n'as pas faim ? »

— Si, un peu », ai-je répondu. Lui à son tour : « Moi aussi. »

Tout en me disant : « Tu sais, ici, on mange rudement bien ! », il s'est emparé de la carte que lui tendait madame Machida. J'ai déclaré que je m'en remettais à lui pour choisir, et Kojima s'est absorbé dans la lecture du menu. Omelette au fromage. Feuilles vertes en salade. Huîtres fumées. Il a énoncé la commande en pointant un doigt sur le texte du menu. Ensuite, précautionneusement, il a rempli nos verres de vin, inclinant la bouteille qu'un moment plus tôt madame Machida avait lentement débouchée. Santé ! Il a levé son verre. A mon tour, j'ai dit Santé ! Un bref instant, l'image du maître a traversé mon esprit, mais j'ai immédiatement chassé cette ombre de ma tête. Les verres ont tinté bruyamment. Le vin était rêche comme il fallait et il n'avait pas encore dégagé tout son arôme.

« C'est un bon vin ! » ai-je dit, et Kojima de se tourner vers la patronne pour dire seulement :

« Vous avez entendu ? » Elle a eu un petit signe de tête.

« Non, pas tant que ça, mais je suis contente que vous l'appréciiez ! » A mon tour d'incliner la tête précipitamment, et ils ont ri tous les deux.

« Vraiment, Omachi, tu n'as pas changé ! » a dit Kojima en faisant tourner son verre avant de prendre une ou deux gorgées du vin. Madame Machida ouvre la porte du frigidaire couleur argent qui semble incorporé sous le comptoir, et se met à préparer ce que Kojima a commandé. Je me suis demandé si j'allais poser des questions sur Ayuko, ou sur ce qu'il faisait dans sa société, mais comme après tout cela ne m'intéresse pas vraiment, j'ai renoncé. Kojima ne cesse de balancer doucement le vin dans son verre.

« Quand je fais ça, je me dis qu'il y a plein de gens dans le monde qui font tourner leur verre de la même manière, et à me voir en train de faire la même chose, j'ai un peu honte, mais… » Je n'avais pas quitté des yeux les doigts de Kojima qui faisait tourner son verre. Il avait vu que mes yeux allaient vers ses mains, et il avait planté son regard dans le mien, comme pour me forcer à le regarder.

« Pas… pas du tout. Tu te méprends, je ne pensais pas du tout ça ! » Mais en réalité, c'était un peu vrai.

« En tout cas, Omachi, même si tu n'y crois pas, essaie un peu pour voir ! » Et Kojima me scrutait du regard tout en insistant.

« Vraiment ? » A mon tour, j'ai fait danser lentement le vin dans mon verre. L'arôme s'est dégagé. J'en ai pris une gorgée, et il m'a semblé qu'il avait un goût différent de tout à l'heure, bien que de façon ténue. C'est une saveur qui s'abandonne. Une saveur accueillante, disposée à tenir compagnie à celui qui l'a aux lèvres, pourrait-on dire.

« Ce n'est pas pareil ! » ai-je déclaré sans dissimuler ma surprise, et Kojima a vigoureusement opiné de la tête.

« Tu m'étonnes ! Alors, tu me crois maintenant ?

— J'avoue que oui. »

Assise à côté de Kojima Takashi, tout en balançant le vin qui dansait dans mon verre et en dégustant les huîtres fumées qui étaient savoureuses, dans ce bar où je venais pour la première fois, je me suis sentie emportée dans un temps mystérieux. L'image du maître surgissait bien par moments à mon esprit, mais, lueur fugitive, elle s'éteignait aussitôt. Ce n'est pas que je me retrouvais au temps du lycée, mais je ne percevais pas non plus le présent comme tel, non, j'oscillais de l'un à l'autre, au comptoir du Bar Machida. J'avais pénétré dans un temps qui n'existait nulle part. L'omelette au fromage était toute gonflée, vaporeuse et chaude, et la salade avait un goût bien net et piquant. Nous avons terminé la bouteille sans nous presser, et nous avons pris chacun un cocktail, à base de vodka pour Kojima, de gin pour moi, si bien que la soirée était bien plus avancée que je n'avais cru. Alors qu'il me semblait que le jour venait à peine de décliner, il était plus de dix heures.

« On s'en va ? a demandé Kojima qui depuis un moment parlait de moins en moins.

— Oui, on pourrait s'en aller », ai-je répondu sans réfléchir. Kojima m'avait un peu expliqué les circonstances dans lesquelles Ayuko et lui s'étaient séparés, mais je ne m'en souvenais pas clairement. L'air qui emplissait le bar n'était pas fluide et pur comme celui qui s'échappe quand on ouvre la bouche, c'était un air dense et fleuri, quand la nuit s'engage sur le chemin qui mène à l'aube. Un autre barman, un homme jeune, avait pris place derrière le comptoir, sans que je m'en aperçoive, et la salle bourdonnait d'une animation agréable et mesurée. Apparemment, Kojima avait réglé l'addition à mon insu. « Laisse-moi payer la moitié », ai-je murmuré, mais il s'est contenté de secouer doucement la tête pour refuser, d'un air de dire que c'était naturel.

J'ai passé légèrement mon bras sous le sien, et nous avons lentement monté l'escalier qui conduisait dehors.

La lune était levée.

Kojima a dit en levant la tête : « C'est la même lune que celle de ton nom[1] ! » Voilà une chose que le maître ne dirait jamais. Brusquement, je me souvenais du maître. J'étais stupéfaite. Tout le temps que j'avais passé dans le bar, il était demeuré flou et lointain. Le bras léger dont Kojima avait entouré mes épaules m'a soudain paru pesant.

« Elle est drôlement ronde ! ai-je dit tout en me dégageant discrètement.

— Oui, drôlement ! » a-t-il continué, sans chercher à se rapprocher de moi. Les yeux levés vers la lune, Kojima lui aussi reste rêveur. Il me donne l'impression d'être plus vieux que lorsque nous étions dans le bar.

Je lui ai demandé : « Qu'est-ce que tu as ? » Il se tourne vers moi et demande à son tour : « Comment ça, qu'est-ce que j'ai ?

— Tu te sens fatigué ?

— Je suis vieux.

— Qu'est-ce que tu racontes ?

— Je raconte la vérité.

— Mais non, enfin ! »

Curieusement, je m'obstine. Kojima se met à rire, et il s'incline devant moi.

---

1. Le prénom de la jeune femme est composé de deux *kanji* : *tsuki*, la lune, et *ko*, l'enfant (ce dernier terminant très souvent les prénoms féminins).

« Pardon, je suis désolé. C'est que toi et moi, on a le même âge, non ?

— Ce n'est pas pour ça ! »

En fait, je pensais au maître. Pas une fois, il n'avait dit à propos de lui-même qu'il était « vieux ». Sans doute n'est-il pas en âge de parler d'un ton léger de son âge justement, ou bien alors ce n'est pas son genre. Debout dans cette rue, j'étais loin du maître. Je me suis mise à ressentir notre éloignement de façon intime et douloureuse. Ce n'était pas la distance que crée le temps par l'expérience plus ou moins longue de la vie, ce n'était pas non plus la distance dans l'espace, pourtant c'était une distance absolue, dont je percevais ici, maintenant, l'existence.

Kojima a de nouveau passé un bras autour de mes épaules. En fait, je ne devrais pas le dire comme ça. Disons plutôt qu'il a eu le geste d'entourer de son bras l'air qui flottait autour de mes épaules. Sa façon de faire est extrêmement délicate. Il ne me touche pas vraiment, en même temps je ne peux pas faire semblant de ne pas sentir le contact de son bras… Depuis quand a-t-il pris l'habitude de ce geste ?

Les épaules prisonnières, je me sentais comme une marionnette manipulée par Kojima. Il traverse la rue et se dirige vers un coin sombre. Moi, je le suis. Devant nous, j'ai aperçu le lycée. Le portail est hermétiquement clos.

141

Dans la nuit, à la lumière des réverbères, l'école paraissait gigantesque. Kojima continue d'avancer, il commence à escalader le chemin qui mène au remblai. Moi aussi, je monte avec lui.

La fête était finie. Pas la moindre trace d'un être humain. Pas même un chat. Quand nous nous étions éclipsés, on remarquait un peu partout des restes de brochettes de poulet, des bouteilles de saké vides, des sachets de seiche fumée, et sur les toiles plastifiées étalées par terre, serrés les uns contre les autres, les gens venus là pour admirer les cerisiers… Rien de tout cela n'avait laissé de traces. Tout avait été jeté, rangé, et le sol était aussi net que s'il avait été ratissé au balai de bambou. Même dans les corbeilles installées sur le remblai, on ne voyait aucun vestige de la fête. C'était exactement comme si la fête de tout à l'heure appartenait à un monde irréel.

« Il ne reste strictement rien ! ai-je dit.

— Il n'y a pas à dire, ils sont terribles ! a ajouté Kojima.

— Comment ça ?

— Eh bien, la race des profs, pardi ! Ils respectent à la lettre la morale publique. »

Il y a quelques années, Kojima Takashi était déjà venu une fois se joindre aux professeurs, juste avant la rentrée, au moment des cerisiers. Ce qu'il avait vu en restant jusqu'à la fin, c'était précisément le grand ménage auquel s'étaient livrés les enseignants une fois la fête finie. Ceux qui, non contents de ramasser les papiers, les mettaient dans des sacs en plastique qu'ils avaient apportés, exprès. Ceux qui, après avoir regroupé les bouteilles vides, les entassaient dans la camionnette du marchand de saké qui connaissait l'école (je suis certain qu'ils lui avaient demandé de venir à cette heure précise, c'était prévu, a ajouté Kojima). Ceux qui répartissaient équitablement entre les professeurs qui aimaient le saké les bouteilles encore à moitié pleines. Ceux qui aplanissaient le sol inégal du remblai à l'aide du pilon qu'on réservait à la cour de l'école. Ceux qui rassemblaient les objets perdus et les mettaient dans des cartons. Sans hésitation, prestement, les professeurs s'étaient mis au travail comme un bataillon bien entraîné. En moins d'un quart d'heure, les vestiges de la fête, qui l'instant d'avant battait son plein, avaient disparu sans laisser la moindre trace.

« Moi, j'étais tellement sidéré que je suis resté planté les bras ballants, sans rien faire, à les regarder. »

Cette année aussi, les professeurs avaient-ils fait disparaître impeccablement les restes de la fête ?

Kojima Takashi et moi, nous avons marché tranquillement, foulant ce sol où à peine une heure plus tôt une foule animée applaudissait les fleurs. La lune est claire et sous sa lumière les fleurs sont éclatantes de blancheur. Kojima m'entraîne sur un banc dans un coin. Il a gardé son bras autour de mes épaules, du même geste impalpable que tout à l'heure.

« Je crois bien que je suis un peu ivre », dit-il. Ses joues sont rouges. Pendant la fête, il était déjà rouge, comme maintenant. Pour le reste, il ne donne nullement l'impression d'être ivre.

J'ai dit très vite : « Il fait encore froid en cette saison. » Mais qu'est-ce que je fais là ? Où s'en est allé le maître ? Est-ce qu'il est parti quelque part avec madame Ishino, après avoir rapidement ramassé les sachets de seiche fumée, les restes de brochettes de poulet achetées dans le quartier, et aplani le sol du remblai ?

« Tu as froid ? » a demandé Kojima, tandis qu'il enlevait sa veste et me la mettait sur les épaules.

« Je n'ai pas dit ça dans ce sens ! » Je me rebiffais.

« Dans ce sens ? Quel sens ? » Kojima riait. Il avait deviné mon hésitation. Cette façon qu'il avait de me percer à jour n'était nullement déplaisante, et pourtant. Oui, cette compréhension intuitive me fait penser à celle qui permet aux parents de deviner ce que leur enfant voudrait tenir secret.

Nous sommes restés un moment l'un contre l'autre. La veste de Kojima me tenait chaud. Elle était imprégnée d'une odeur d'eau de Cologne, presque imperceptible. Kojima a souri. Nous regardions tous les deux droit devant nous, mais j'ai compris qu'il souriait, j'étais certaine de ne pas me tromper.

« Tu as ri ? ai-je demandé en continuant à regarder devant moi.

— Evidemment ! Tu es tellement restée la même !

— Comment ça ?

— Tu es exactement comme une lycéenne ! »

« Tu t'es raidie », a ajouté Kojima. Il avait parlé avec une infinie douceur. Puis il a entouré mes épaules d'un bras ferme et m'a serrée contre lui. Intérieurement, je me suis dit : On va en arriver là ? Est-ce que j'allais comme ça rester dans ses bras ? Mon esprit s'étonne. Pourtant mon corps se serre de plus belle contre Kojima.

« Il fait froid, allons ailleurs, au chaud », a murmuré Kojima.

« On va en arriver là ? » Je me suis lancée, j'ai formulé ce que je pensais dans ma tête. Kojima ne comprenait pas bien, il m'a fait répéter.

Est-ce que les choses se passent ainsi aussi vite ? C'est ce que je me préparais à répondre, mais je n'en ai pas eu le temps. Kojima s'est levé d'un bond, moi, j'étais encore assise. Il m'a saisi le menton, m'obligeant à lever la tête vers lui, et il m'a embrassée vivement.

Son geste avait été si rapide que je n'ai pas eu la présence d'esprit de résister. Zut alors ! Je râlais. Quelle idiote, j'étais bien eue. Je m'étais fait avoir, mais ce n'était pas désagréable. Ce n'était pas désagréable, mais je n'étais pas contente non plus. Même, je me sentais un peu triste.

« C'est comme ça que ça se passe ? » J'ai à nouveau posé la question.

« Mais oui, c'est comme ça », a répondu Kojima. On décelait cette fois une sorte d'assurance dans sa voix.

Pourtant, je restais incapable de m'y faire, la situation me paraissait décidément anormale. Lui, toujours debout, a approché encore une fois son visage du mien.

« Arrête, je t'en prie ! » J'ai parlé d'un ton aussi net que possible.

« Mais non, je n'arrête pas ! a répliqué Kojima, lui aussi très nettement.

— Mais enfin, tu n'es pas si amoureux de moi ? »

Kojima a hoché la tête.

« Figure-toi que je suis amoureux de toi, depuis le lycée ! D'ailleurs, la preuve, je t'ai donné rendez-vous ! Ça ne s'est pas très bien passé, mais enfin… » Il a l'air sérieux.

« Tu es amoureux de moi depuis tout ce temps ? » ai-je demandé. Alors Kojima a eu un léger rire.

« Tu sais, dans la vie, on finit par changer ! »

Il a levé les yeux vers la lune. Elle est légèrement voilée.

Mes pensées sont d'abord allées vers le maître. Puis, vers Kojima.

« Merci pour aujourd'hui, ai-je dit sans vraiment le regarder.

— Quoi ?

— C'était une belle soirée. »

J'avais parlé en gardant les yeux fixés sur le bas de son visage, et j'ai remarqué que son menton avait nettement épaissi depuis le temps où il était au lycée. Années qui s'accumulent. Mais je ne devais pas haïr la ligne épaisse de ce menton. J'aimais cette épaisseur. En même temps, je me suis souvenue de la ligne de cou du maître. Quand le maître avait le même âge que moi ou Kojima Takashi, sans doute avait-il eu ce même menton un peu lourd. Mais le temps avait effacé cette épaisseur.

Kojima me regarde d'un air un peu surpris. La lune est claire. Voilée, mais lumineuse.

« C'est non ? a dit Kojima en poussant un soupir un peu exagéré.

— J'en ai l'impression.

— Pas de chance, décidément, les rendez-vous galants, ce n'est pas mon fort ! » a-t-il dit en riant. J'ai ri avec lui.

« Non, pas du tout ! Et puis, tu m'as appris à tourner le vin dans mon verre !

— Justement, c'est ce genre de trucs, ça ne va pas, j'en étais sûr ! »

Kojima Takashi est éclairé par un rayon de lune. Je ne détache pas mes yeux de lui.

Il se tourne vers moi qui le regarde et demande :
« Beau mec ?

— Oui, tu es un beau mec, c'est vrai. » J'ai répondu avec conviction. Kojima m'a pris les mains et fait lever.

« Et pourtant, tu ne veux pas ?

— Tu sais bien, je suis une lycéenne !

— Lycéenne, toi ? Tu parles ! » Les lèvres de Kojima se sont retroussées pendant qu'il disait ça. A lui voir ce visage, il me semblait que lui aussi était un lycéen. Je lui trouvais l'air d'un adolescent qui n'a pas vingt ans et qui ignore tout du vin qu'on fait tourner dans les verres.

Nous avons marché le long du remblai, main dans la main. La sienne était douce et chaude. Les rayons de la lune éclairaient les fleurs de cerisiers. Où était le maître à présent ?

Tout en marchant, j'ai dit à Kojima : « A propos de madame Ishino, moi, je ne pouvais pas la piffer !

— Ah bon ? Moi, je te l'ai déjà dit tout à l'heure, j'avais un faible pour elle !

— Toi, c'était plutôt monsieur Matsumoto qui ne te revenait pas, non ?

— C'est bien vrai, obstiné et pas du genre à faire preuve d'indulgence, tu ne crois pas ? »

148

Insensiblement, nous nous retrouvions dans l'humeur du lycée. La cour de l'école baignait dans les rayons de la lune, elle paraissait toute blanche. En continuant à avancer jusqu'à l'extrémité du remblai, il était peut-être possible de remonter le cours du temps.

Nous avons continué jusqu'au bout du remblai, nous avons rebroussé chemin jusqu'à l'endroit où le remblai commence, et nous avons fait un nouvel aller et retour. Nous n'avions pas cessé de nous tenir fermement par la main. Sans presque échanger de paroles, nous avons fait plusieurs fois l'aller et retour.

« Si on rentrait ? » ai-je fini par proposer, quand nous sommes revenus pour la énième fois au point de départ. Kojima Takashi est resté silencieux un moment, puis il a fini par lâcher ma main.

« Oui, allons-nous-en. » Il avait répondu d'une toute petite voix.

Côte à côte, nous avons descendu le remblai. C'était la pleine nuit. La lune était au plus haut du ciel.

« J'ai cru qu'on allait continuer à marcher comme ça jusqu'à l'aube… » a murmuré Kojima. Il ne s'adressait pas directement à moi, il avait murmuré en regardant le ciel.

« Moi aussi, je ne sais pas pourquoi, mais j'en avais envie. » En entendant ma réponse, Kojima m'a regardée fixement.

Nous sommes restés un moment à nous regarder dans les yeux. Puis, sans un mot, nous avons traversé la rue. Kojima a arrêté un taxi qui passait, et il m'a fait monter.

« Si je te raccompagne, j'ai l'impression que je vais encore me faire des idées, alors, j'aime mieux pas… » Il a souri.

« Tu as raison. » En même temps, la portière du taxi se fermait, et la voiture a démarré.

Je me suis retournée et j'ai suivi du regard la silhouette de Kojima Takashi à travers la vitre arrière. Il rapetissait, puis il a fini par disparaître.

Moi, toute seule sur la banquette arrière du taxi, j'ai murmuré d'une voix presque inaudible, finalement, cela ne m'aurait pas déplu qu'il ait toutes sortes d'idées… Mais je savais aussi que si les choses s'étaient passées comme elles auraient pu se passer, j'aurais été embarrassée. Le maître était-il allé seul au bistrot de Satoru ? Etait-il en train de manger des brochettes de poulet grillé au sel ? Ou bien se trouvait-il en compagnie de madame Ishino, tous les deux assis l'un contre l'autre, au petit restaurant d'*oden* par exemple ?

Tout était loin. Le maître, Kojima Takashi, la lune, tout était loin. Je ne détachais pas les yeux du paysage qui défilait à travers la vitre. La voiture traversait la nuit à toute vitesse. J'ai appelé le maître, j'ai prononcé son nom. Ma voix a immédiatement été effacée par le bruit du moteur. Dans le paysage que la voiture dépassait, des cerisiers sont apparus. Les arbres, jeunes ou vieux, fleurissaient dans la nuit, resplendissants. Maître ! J'ai appelé encore une fois, mais comment ma voix aurait-elle pu l'atteindre ? Le taxi a continué sa course, m'emportant à travers la nuit de la ville.

La chance

Deux jours après la fête des cerisiers, j'ai croisé le maître chez Satoru, mais je venais juste de régler l'addition, je me suis contentée de le saluer et j'ai quitté l'*izakaya*.

La semaine qui a suivi, nous nous sommes trouvés ensemble chez le marchand de tabac à côté de la gare, cette fois c'est le maître qui semblait pressé et nous avons seulement échangé un regard.

Puis le mois de mai est arrivé. Les jeunes feuilles enveloppaient de vert tendre les arbres bordant les rues et le petit bois à côté de la maison. Les journées où on avait chaud même en manches courtes alternaient avec d'autres où la fraîcheur donnait presque envie de se retrouver au chaud dans le *kotatsu*. Je suis allée plusieurs fois chez Satoru, mais c'était toujours, semble-t-il, pour manquer le maître de peu, si bien que nous sommes restés sans nous voir.

De temps à autre, Satoru me demande de l'autre côté du comptoir : « Ça ne vous fait rien de ne plus avoir de rendez-vous avec le maître, Tsukiko ?

— Mais nous n'avons jamais eu de rendez-vous ! » Satoru n'a pu s'empêcher de montrer son étonnement. Moi, ça ne me plaisait pas du tout, son « ça alors ! ». J'ai picoré avec mes baguettes mon sashimi de poisson volant. Satoru me regardait malmener les tranches de poisson cru d'un œil réprobateur. Pauvre poisson ! Mais ce n'est pas de ma faute. C'est Satoru qui est responsable, avec ses cris de surprise qui montrent bien qu'il ne marche pas.

Pendant un moment, j'ai continué à maltraiter les morceaux de poisson. Satoru s'est installé à nouveau devant sa planche à découper pour s'occuper de la commande du client assis à l'autre bout. La tête du poisson brille sur l'assiette, raide de fraîcheur. Les yeux sont limpides. Cette fois, je saisis d'un geste déterminé un morceau de cette chair transparente et je la trempe dans la sauce de soja au gingembre. Le goût est un peu fort, mais la chair est bien ferme. J'ai bu au verre le saké froid, puis j'ai promené un regard dans la salle. Sur un tableau noir, les suggestions du jour sont notées à la craie. Thon cru pilé. Poisson volant. Pommes de terre nouvelles. Fèves. Porc bouilli. Je ne doute pas que le maître aurait pris un hachis de thon ainsi que des fèves.

« Au fait, le maître en question, il est venu l'autre jour en compagnie d'une belle femme, pas vrai ? » a dit le client assis à côté de moi. Il était corpulent et s'adressait à Satoru. Celui-ci a levé les yeux un bref instant de sa planche, et sans répondre, il a crié en se tournant vers le fond du bistrot : « Un grand plat bleu ! » Un jeune homme est apparu, venant de la plonge.

« Tiens ! » a dit le gros client qui parlait tout à l'heure, et Satoru a expliqué : « C'est un nouveau. » Le jeune homme a salué.

« Il vous ressemble un peu, pas vrai, patron ? » Le patron a fait un signe d'assentiment.

« C'est mon neveu », a-t-il dit, et le garçon s'est incliné de nouveau.

Satoru a entrepris de disposer le sashimi sur le grand plat bleu qu'il s'était fait apporter. L'homme corpulent a laissé errer un moment son regard sur la silhouette de dos du jeune homme, mais il a bientôt fini par se concentrer sur son assiette.

Une fois l'homme corpulent parti, les autres clients ont commencé à demander leur addition les uns après les autres, et le troquet est devenu subitement très calme. Du fond du comptoir, on entendait le bruit de l'eau que le jeune homme faisait couler. Satoru a sorti du frigidaire un petit récipient et en a réparti le contenu sur deux petites assiettes. Il en a posé une devant moi.

« C'est une confection de ma femme, si vous voulez y goûter... » En même temps, il a pris dans l'autre assiette, avec ses doigts, un peu de ce mets préparé par sa femme. C'étaient des crosnes. Le goût était plus fort que quand Satoru les accommode, cuits longtemps, ils étaient très piquants, à cause du piment rouge. J'ai dit : « C'est délicieux ! » et Satoru s'est contenté d'approuver d'un air sérieux, tout en en portant à sa bouche une nouvelle pincée. Il a tourné le bouton de la radio qui se trouve sur l'étagère. Le match de base-ball était sur le point de se terminer, ça allait être les informations. Les publicités ont défilé, voitures, grands magasins, *chazuke*[1] en poudre.

« Est-ce que le maître vient souvent ces derniers temps ? ai-je demandé en m'efforçant de prendre un ton détaché, le plus que je pouvais.

— Euh, oui, enfin… a répondu Satoru d'une manière ambiguë.

— Le client qui était là tout à l'heure a dit qu'il était accompagné d'une jolie femme… » Je m'étais composé cette fois le ton de l'habitué qui parle plaisamment des bruits qui courent sur les autres clients.

« C'est bien possible, mais je ne me souviens pas exactement », a répondu Satoru en gardant la tête baissée.

---

1. Riz arrosé de thé bouillant, agrémenté d'algues, de prune salée, de morceaux de thon, etc. Il s'agit ici d'une publicité pour *chazuke* en poudre, qu'il suffit de verser sur le riz avant d'arroser le tout d'eau bouillante.

J'ai murmuré quelque chose qui exprimait à la fois dépit et doute. Ah bon, vraiment ?

Ensuite, nous n'avons plus rien dit. La radio diffusait le commentaire d'un reporter qui proposait son analyse d'une série de crimes perpétrés dans le département de A***, expliquant que le criminel avait choisi ses victimes au hasard.

« Mais pourquoi ? Comment peut-on expliquer de tels crimes ? a dit Satoru.

— C'est la fin du monde ! ai-je dit à mon tour, et il est resté un moment l'oreille tendue vers la radio, avant de dire :

— Il y a plus de mille ans, les hommes criaient déjà à la fin du monde ! »

Du fond du comptoir, s'est fait entendre le rire étouffé du jeune homme. Riait-il à cause de ce qu'avait dit Satoru ou bien était-ce sans rapport, en tout cas il a ri pendant un bon moment. J'ai demandé l'addition, et Satoru a fait le calcul avec un crayon. J'ai quitté l'*izakaya*, avec dans le dos la voix du patron qui me saluait familièrement, et le vent nocturne a frappé ma joue. Grelottante, j'ai fait coulisser la porte. Le vent a une odeur de pluie tiède. J'ai reçu une goutte sur la tête. En hâte, j'ai pris le chemin de la maison.

Pendant plusieurs jours de suite, la pluie n'a pas arrêté. Les jeunes feuilles ont subitement pris des teintes plus profondes, et de ma fenêtre, tout ce qu'enfermait mon regard était vert.

Devant ma chambre étaient plantés quelques ormes encore jeunes. Leur feuillage luisait sous la pluie. Le mardi, j'ai reçu un coup de téléphone de Kojima Takashi.

« Tu ne veux pas qu'on aille au cinéma ? » a-t-il proposé. J'ai répondu que je voulais bien, et je l'ai entendu pousser un soupir à l'autre bout du fil.

« Qu'est-ce qu'il y a ?

— Je sais pas, mais je suis tout crispé. Exactement comme quand j'étais étudiant ! Quand j'ai donné rendez-vous à une fille pour la première fois, figure-toi que j'avais griffonné sur un bout de papier les grandes lignes de la conversation !

— Aujourd'hui aussi, tu as préparé un brouillon ? » Kojima a répondu gravement qu'il ne l'avait pas fait.

« Ce n'est pourtant pas l'envie qui m'a manqué ! »

Nous sommes convenus de nous retrouver le dimanche suivant à Yûrakuchô. Kojima Takashi doit sûrement être quelqu'un de très classique. Parce qu'il m'a proposé d'aller prendre quelque chose après le film. J'étais certaine que s'il parlait d'aller quelque part, cela voudrait dire un restaurant de style occidental à Ginza. Un de ces endroits qui existent depuis toujours, où le ragoût de langue de bœuf ct les croquettes sont délicieux.

Avant d'aller à notre rendez-vous, j'ai eu envie de me faire couper les cheveux, et je suis allée en ville samedi après-midi. Peut-être à cause de la pluie, il y avait moins de monde que d'habitude. J'ai déambulé dans les rues commerçantes en faisant danser mon parapluie. Cela fait combien d'années que je vis dans ce quartier ? Après avoir quitté la maison paternelle, j'ai habité ailleurs, mais j'ai fini par revenir ici, sans même m'en apercevoir, comme les saumons reviennent à la rivière où ils sont nés, dans ce quartier où je suis née, où j'ai été élevée.

« Tsukiko ! » Je me suis retournée, le maître se tenait devant moi. Il avait des bottes de caoutchouc, un long imperméable fermé par une ceinture.

« Il y a longtemps qu'on ne s'est pas vus !

— Oui, cela fait longtemps, ai-je répondu.

— La dernière fois, le jour de la fête des cerisiers, vous êtes partie avant la fin, n'est-ce pas ? »

A nouveau, j'ai dit oui. Et j'ai ajouté très bas : « Mais je suis revenue après…

— Moi, après, j'ai emmené madame Ishino chez Satoru. »

Il ne semble pas avoir entendu les mots que j'ai prononcés tout bas, *mais je suis revenue après*. « Ah bon ? Vous l'y avez emmenée ? Voilà qui est bien. » J'ai répondu d'un air maussade. Pourquoi donc est-ce que je prends un air boudeur quand je parle avec le maître, pourquoi est-ce que je m'emporte, pourquoi les larmes me viennent-elles facilement aux yeux ? Ce n'est pourtant pas du tout mon genre de montrer ainsi mes sentiments…

« Madame Ishino a le contact facile. Elle s'est tout de suite entendue avec Satoru. »

Evidemment ! Satoru est un commerçant, quoi d'étonnant qu'il sache parler aux clients ! C'est ce que j'ai failli répliquer, mais je me suis contenue. C'était exactement comme si j'éprouvais de la jalousie à l'égard de cette madame Ishino ! Mais non, il ne s'agit pas de ça. J'affirme qu'il n'en est rien.

Le maître s'est remis à marcher en tenant bien droit son grand parapluie. Son allure est la preuve même qu'il est convaincu que je vais le suivre, il n'a besoin de rien dire. Pourtant, je n'ai pas marché à sa suite, je suis restée sans bouger à la même place. Le maître continuait d'avancer sans se retourner.

« Tiens, tiens ! » Il s'est finalement rendu compte que je ne le suivais pas et il m'a demandé tranquillement :

« Qu'est-ce qui vous arrive, Tsukiko ?

— Rien du tout. Je vais chez le coiffeur. Et puis, demain, j'ai un rendez-vous. » J'ai fini par dire des choses que je n'avais pas besoin de dire.

« Un rendez-vous ? Avec un homme ? a-t-il demandé d'un ton plein d'intérêt.

— Mais oui !

— Ah bon ? »

Le maître est revenu sur ses pas. Il m'a dévisagée avec sérieux.

« Quel genre d'homme est-ce ?

— Je ne vois pas en quoi…

— C'est juste. »

Le maître a incliné son parapluie. Les gouttes de pluie glissent le long des branches. Ses épaules sont un peu mouillées.

« Tsukiko ! » Le maître m'appelle sans me quitter des yeux, sa voix est terriblement grave.

« Que… qu'est-ce qu'il y a ?

— Tsukiko !

— Je suis là.

— Venez avec moi au pachinko ! »

Le ton du maître se fait de plus en plus pressant. Maintenant ? ai-je demandé. Le maître a hoché la tête lourdement. Allons-y de ce pas. Là, maintenant, tout de suite. Sa voix semblait dire que l'avenir du monde était en jeu, si nous n'allions pas sur-le-champ au pachinko, le monde serait détruit. Moi, j'étais comme subjuguée, j'ai dit oui. Eh bien, entendu, allons-y tout de suite, à ce pachinko ! A la suite du maître, j'ai tourné dans une rue transversale qui partait de la rue commerçante.

Dans la salle de pachinko, on diffusait une vieille marche militaire pleine d'entrain. Toutefois elle avait été remaniée façon moderne. Le son doux des cordes est couvert par celui de la guitare basse. Le maître, de l'air de celui qui connaît parfaitement les lieux, a traversé les rangées. Il s'est arrêté devant une machine, mais à peine l'a-t-il examinée sous tous les angles qu'il passe à une autre. L'établissement était bondé. Je suis sûre qu'il y a autant d'affluence les jours de beau temps que quand il pleut ou qu'il fait du vent.

« Tsukiko, choisissez la machine qui vous plaît ! » a dit le maître qui, de son côté, semblait avoir fixé son choix. De la poche de son imperméable, il a sorti son portefeuille, dont il a extrait une carte. Il l'a introduite sans hésitation dans une fente sur le côté de la machine, a sorti pour mille yens de billes, a retiré la carte qu'il a replacée dans son portefeuille.

« Vous venez souvent ici ? » ai-je demandé, et le maître a opiné de la tête sans un mot. Il a l'air totalement absorbé. Il a ajusté la manette avec une très grande attention. Une bille est sortie, puis les autres sont apparues les unes après les autres.

La première bille est entrée. Dans l'assiette, plusieurs billes sont tombées. Le maître a serré le bouton avec une prudence redoublée. Plusieurs fois, les billes sont tombées dans les trous alignés de chaque côté de la planche, et à chaque fois l'assiette se remplissait de plus belle.

« Eh bien, il en sort, des billes ! ai-je soufflé derrière lui, mais le maître, sans quitter des yeux la machine, a secoué la tête.

— Vous n'avez encore rien vu ! »

En même temps qu'il disait cela, une bille est tombée dans le trou au centre de la machine, et les trois dessins alignés au milieu se sont mis à tourner dans une danse folle. Ils s'agitent en tout sens, sans qu'on leur ait rien demandé. Le maître s'est redressé, et il a continué à lancer des billes sans perdre son calme. Il m'a semblé que les billes tombaient moins aisément dans les trous que tout à l'heure.

« Elles ne tombent pas facilement, on dirait ! ai-je dit, et le maître a acquiescé.

— Il faut croire que c'est parce que je suis plus nerveux. »

Sur la machine, deux dessins représentant le même motif se sont retrouvés alignés en même temps. Seule la troisième image continue de tourner sans arrêt, au hasard. Parfois, elle donne l'impression qu'elle va cesser de tournoyer, mais c'est à ce moment qu'elle recommence brusquement sa ronde incontrôlable.

J'ai demandé : « Si les trois dessins deviennent tous pareils, c'est qu'on a une chance formidable ? » Cette fois, le maître s'est retourné vers moi : « Tsukiko, vous n'avez jamais joué au pachinko ? m'a-t-il demandé.

— Non, jamais. Quand j'étais au C.P., mon père m'a emmenée avec lui, et ça m'est arrivé de jouer au pachinko, mais le vieux système, celui où les billes rebondissent une par une. Et vous savez, je me défendais plutôt bien. »

Dès que j'ai eu fini de parler, la troisième image s'est immobilisée. Les trois dessins étaient identiques.

Dans le magasin, on a entendu un haut-parleur qui annonçait : « Le client assis à la place 132 est parti pour jouer la grande chance. Bravo, nous le félicitons ! » et l'appareil du maître s'est mis à clignoter avec frénésie.

Le maître ne me regarde plus, il est tout entier à sa machine. Il a le dos légèrement arrondi, ce qui n'est pas dans ses habitudes. L'une après l'autre, les billes n'en finissent pas de jaillir, avant d'être englouties par une énorme tulipe ouverte au milieu de la planche. Les petites boules argentées n'arrêtent pas de déborder de l'assiette qui se trouve en bas de la machine, avec un bruit assourdissant. Un employé arrive en portant un grand récipient rectangulaire. De sa main gauche, le maître tire le levier en bas de la machine, de la droite il serre le volant. Tout en déplaçant de façon presque insensible la position, il lutte pour mettre dans la tulipe ne serait-ce qu'une bille de plus.

La boîte rectangulaire est à présent remplie de billes.

« C'est bientôt la fin… » murmure le maître. Alors que le récipient était plein à ras bord, la tulipe s'est refermée, et la machine est soudain devenue silencieuse. Le maître s'est redressé pour la seconde fois, et il a lâché le levier.

« C'est fantastique ! » ai-je dit, et le maître a seulement hoché la tête en continuant à regarder devant lui. Il a respiré profondément.

Se tournant vers moi, il a dit : « Tsukiko, vous voulez essayer ? »

Il a ajouté : « Cela vous fera une étude de mœurs. »

Ça y est, une étude de mœurs. Non, vraiment incorrigible, le maître. Je me suis installée devant la machine à côté de lui. « Achetez vous-même les billes. » Je suis donc allée acheter une carte et je l'ai craintivement insérée dans la fente, pour tirer 500 yens de billes.

J'ai fait comme le maître, j'ai redressé le buste bien droit et j'ai lancé de toutes mes forces, mais aucune bille n'est tombée. D'un coup j'avais perdu pour cinq cents yens de billes. De nouveau, j'ai sorti ma carte et acheté des billes. Cette fois, j'essaie la manette dans plusieurs positions. A côté de moi, le maître envoie des billes avec nonchalance. Les images au milieu de la planche ont du mal à se mettre en mouvement, mais elles émettent un bruit qui prouve que certaines billes pénètrent par les trous. J'ai de nouveau perdu mes 500 yens, et j'ai arrêté de lancer des billes. De nouveau, les images de la machine du maître se mettent en mouvement.

« Est-ce que les trois images vont encore sortir ? ai-je demandé, mais le maître a secoué la tête.

— Il n'y a pour ainsi dire aucune chance. La probabilité doit être de l'ordre de un sur mille, et encore ! »

Effectivement, les images se sont immobilisées, toutes différentes. Après, le maître a continué à jouer en augmentant la quantité de billes d'un dixième environ, sans forcer, mais quand il s'est rendu compte que le nombre de billes qui sortaient était égal au nombre de celles qui disparaissaient, il s'est levé. Tenant nonchalamment sa boîte pleine à ras bord, il s'est dirigé vers le comptoir. Après avoir fait calculer le nombre de billes, il est allé dans le coin où étaient exposés les lots.

« Vous ne les échangez pas contre de l'argent ? » ai-je demandé. Le maître m'a regardée sans ciller, avant de dire :

« Tsukiko, vous êtes bien au courant pour quelqu'un qui ne joue pas au pachinko !

— C'est mon petit doigt qui me l'a dit ! » ai-je répondu. Alors, le maître a ri. En parlant de ce qu'on peut gagner au pachinko, moi, j'imaginais tout de suite du chocolat, mais en réalité il y avait un choix incroyable, du faitout électrique à la cravate. Le maître allait d'un objet à l'autre, montrant un intérêt passionné. Finalement, il s'est fait remettre au comptoir un carton qui contenait un aspirateur de table. Le reste a été transformé en chocolat.

« Le chocolat, je vous le donne. » Devant la salle de pachinko, le maître m'a tendu plus d'une dizaine de plaquettes de chocolat. Gardez-en quelques-unes. Je lui tendais les plaquettes en éventail, comme des cartes à jouer, et il en a pris trois. Est-ce que vous avez joué au pachinko avec madame Ishino aussi ? J'ai posé la question négligemment. Quoi ? Le maître a secoué la tête. Et vous, Tsukiko, ce jour-là, vous êtes allée quelque part avec ce garçon ? Il me répondait en me lançant une question. Quoi ? A mon tour de secouer la tête.

« Vous vous défendez rudement ! Fameux, le pachinko ! » ai-je dit. A ces mots, le maître a fait une grimace. Je sais qu'il ne faut pas jouer, mais c'est tellement amusant ! Il a dû dire quelque chose de ce genre, puis il a rectifié la position de l'aspirateur dans ses bras, d'un geste précautionneux.

Côte à côte, nous sommes revenus dans la rue commerçante.

Si on allait prendre un verre, un tout petit, chez Satoru, vous voulez bien ? Je veux bien. Mais demain, vous avez un rendez-vous ? Oui, mais ça ne fait rien. Vraiment ? Vraiment. Nous avons discuté un moment comme ça, sans penser vraiment à ce que nous disions.

Vraiment, ça ne fait rien. Tout en me répétant intérieurement ces mots, je me suis rapprochée du maître.

Les jeunes feuilles avaient perdu leur fragilité, elles étaient à présent luxuriantes. Nous marchions avec lenteur, abrités sous le même parapluie. Par moments, le bras du maître frôle mon épaule. Il tient le parapluie tout droit, bien haut.

« Vous croyez que Satoru est déjà ouvert ?

— S'il n'est pas ouvert, nous n'aurons qu'à marcher encore un peu ! » a répondu le maître.

Levant les yeux vers le parapluie, j'ai dit : « On marche alors ?

— Oui, continuons à marcher. » Il avait répondu sans ambiguïté, d'un ton parfaitement décidé, comme la marche qui retentissait tout à l'heure dans le pachinko.

La pluie est devenue plus fine. Une goutte m'a effleuré la joue. J'ai fait le geste de l'essuyer du revers de la main. Le maître s'en est aperçu.

« Tsukiko, vous n'avez donc pas de mouchoir ?

— Si, j'en ai un, mais ça m'ennuie de le sortir.

— Vraiment, les jeunes femmes modernes… »

J'ai réglé mon pas sur le sien, je marchais à grandes enjambées. Le ciel s'est éclairci, les oiseaux se sont mis à gazouiller. Il avait presque cessé de pleuvoir, mais le maître tenait son parapluie ouvert sans défaillance. A l'abri sous le parapluie bien haut, d'un pas ferme, le maître et moi avons continué d'avancer dans la rue animée.

Le tonnerre de la saison des pluies

Kojima Takashi m'a proposé de faire un voyage.

« Je connais une auberge qui fait de la bonne cuisine ! a-t-il dit.

— De la bonne cuisine ? » ai-je répété comme un perroquet, et il a acquiescé. Il a un visage sérieux, l'expression d'un écolier. J'ai pensé qu'autrefois, le crâne rasé devait lui aller rudement bien.

« En cette saison, les petites truites[1] doivent déjà se laisser manger ! »

J'ai fait oui. Une auberge agréable, où la cuisine est bonne. Je ne doute pas que l'idée corresponde tout à fait au genre de Kojima Takashi.

« Ça ne te dirait pas de te laisser tenter, avant qu'on entre dans la saison des pluies ? »

Quand je suis avec lui, le mot « grande personne » me vient toujours à l'esprit.

---

1. En japonais, *ayu*. Poisson d'eau douce de petite dimension, très sensible à la pollution, hautement estimé pour sa chair parfumée. (S'agirait-il du poisson qu'on appelle « ombre » ?)

Par exemple, quand Kojima Takashi était au C.P., je suis certaine qu'il était un parfait petit garçon. Hâlé, les mollets maigres. Lycéen, il était l'image même du jeune homme plein de promesses. L'adolescent sur le point de se muer en homme. Une fois étudiant, sûr qu'il était le jeune homme par excellence. Incarnant à la perfection le terme de jeune homme. Je l'imaginais sans peine. A l'approche de la trentaine, il ne fait pas de doute que Kojima s'est transformé en adulte. Il ne pouvait pas en être autrement.

Le nombre des années, et le comportement adapté à l'âge. Le temps de Kojima Takashi s'est écoulé selon la moyenne, son corps et son esprit se sont développés selon la moyenne.

Moi, au contraire, je ne suis sans doute toujours pas une « grande personne » digne de ce nom. Quand j'étais à l'école primaire, j'étais très mûre pour mon âge. Mais au fur et à mesure que le temps passait, devenue collégienne, puis lycéenne, j'ai cessé au contraire d'être adulte. Avec les années, j'ai fini par devenir parfaitement puérile. Je suis peut-être d'une nature à ne pas faire bon ménage avec le temps.

« Pourquoi est-ce que ça n'irait pas après le commencement de la saison des pluies ? ai-je questionné.

— Mais voyons, on se ferait mouiller ! a-t-il répondu sans hésitation, très clairement.

— Il n'y aura qu'à se protéger avec un parapluie ! ai-je insisté, et Kojima a ri.

— Ecoute, parlons peu parlons bien ! Je suis en
train de te proposer un voyage, toi et moi, tous les
deux. Tu saisis ? » Tout en parlant, il ne cessait de
me regarder, comme pour deviner mes pensées.

Il va sans dire que j'avais compris dès le
début, quand il avait commencé à me parler des
fameuses petites truites. J'étais également
consciente que l'idée de partir en voyage avec
lui était loin de me déplaire. Pourquoi donc lui
disais-je toujours des choses pour tenter de faire
dévier le sujet ?

« On peut les pêcher dans la rivière qui coule
tout près. Ce n'est pas tout, il faut ajouter que
les légumes de la région sont eux aussi délicieux », a énoncé lentement Kojima. Alors qu'il
sait pertinemment que je fais tout pour gagner
du temps et me dérober, il cherche par son attitude à éviter de me forcer la main, de l'air de
celui que cela ne préoccupe nullement.

Concombres fraîchement cueillis, frappés
légèrement au couteau, servis avec de la chair de
prune confite au sel. Aubergines fraîches émin-
cées et passées à la poêle, nappées de sauce de
soja parfumée au gingembre. Feuilles de chou
macérées dans du miso. Rien que des choses
qu'on peut manger chez soi, mais le goût prononcé des légumes est totalement différent,
continue d'expliquer Kojima.

« Tous les légumes sont cultivés sur leurs terres et récoltés du jour. Figure-toi que le miso comme la sauce de soja proviennent également d'une resserre voisine. Qu'est-ce qu'une gourmande comme toi peut rêver de mieux, je me le demande ! » Et il a ri.

J'aime son rire. J'ai presque failli répondre que j'acceptais sa proposition. Cependant, je n'ai rien dit. Oui, oui, les truites. Oui, oui, les légumes frais. Je me suis contentée de murmurer une réponse vague.

« Si l'envie te prend de venir, dis-le-moi. Comme ça, je pourrai réserver tout de suite », a-t-il dit sans avoir l'air d'y toucher, tout en s'adressant au barman. « La même chose, s'il vous plaît ! »

Nous étions assis au comptoir du Bar Maeda. C'est peut-être la cinquième fois que nous nous voyons. Kojima s'est mis à croquer les graines de tournesol dans une petite assiette. A mon tour, j'en ai croqué quelques-unes. Discrètement, la patronne a posé devant Kojima un verre de whisky.

Chaque fois que je me retrouve avec Kojima Takashi au Bar Maeda, j'ai l'impression que je ne devrais pas être là. En sourdine, une musique de jazz banale. Le comptoir parfaitement astiqué. Les verres purement transparents. Une légère odeur de tabac. Une animation juste comme il faut. Rien à critiquer. C'est pour cela que je me sens mal à l'aise.

« Elles sont bonnes, les graines de tournesol ! »
ai-je dit tout en croquant à nouveau deux pépins
de soleil. Kojima boit tout doucement, à petites
gorgées, son bourbon coupé de soda. J'ai pris moi
aussi une gorgée du liquide qui se trouve devant
moi. C'est un martini, irréprochable lui aussi.

J'ai reposé mon verre en poussant un soupir.
Le verre était froid, et la paroi légèrement voilée.

« Est-ce qu'on ne serait pas au seuil de la saison des pluies ? » a dit le maître.

Satoru répond ouais, c'est sûr. Le jeune
homme qui est, paraît-il, son neveu, acquiesce à
son tour. Il s'est totalement habitué à la boutique.

Le maître s'est adressé à lui, demandant :
« Une truite, s'il vous plaît ! » Après une réponse
pleine d'allant, il a disparu dans le fond du bistrot. Bientôt, une odeur de poisson qu'on fait
griller a commencé à embaumer.

« Vous aimez les truites ? ai-je demandé.

— J'aime la plupart des poissons. Les poissons de mer comme les poissons d'eau douce !
a-t-il répondu.

— Ah vraiment ? Alors, vous aimez ça ? »

Le maître me regardait. Tsukiko, qu'est-ce
qui se passe ? Les truites vous ont fait quelque
chose ? Disant cela, le maître m'observait.

Non, non, pas particulièrement. J'ai répondu
hâtivement, et j'ai baissé la tête. Le maître est

resté un moment à me regarder. La tête penchée, il me fixait.

Le jeune homme est réapparu, portant le petit poisson sur un plat. Il était nappé de vinaigre d'ortie.

« La couleur verte du vinaigre d'ortie se marie bien avec l'air de la saison des pluies ! » a murmuré le maître en regardant l'élégante silhouette. Satoru a dit en riant, hé, maître, on dirait un poème ! Ce n'est pas un poème, juste une impression, a répondu le maître. Délicatement, ses baguettes ont entamé la chair du poisson. La façon de manger du maître est toujours déférente et attentionnée.

« Si vous aimez à ce point les truites, il ne vous arrive jamais d'aller en déguster dans une auberge de station thermale, par exemple ? » ai-je demandé. Il a levé les sourcils.

Tandis que ses sourcils reprenaient leur place, il a répondu : « Non, je n'irais pas exprès pour ça, vraiment pas ! »

« Mais qu'est-ce que vous avez, Tsukiko ? Aujourd'hui, vous êtes décidément bizarre ! »

Kojima Takashi m'a proposé de m'emmener en voyage. J'ai vraiment failli lui dire. Evidemment, je me suis tue. Le maître vide sa coupelle de saké juste au rythme qu'il faut. Après avoir bu, il s'arrête un moment. De nouveau, il l'avale d'un trait, puis se repose. Moi, de mon côté, je bois à un rythme plus accéléré que d'habitude.

A peine ma coupelle remplie, je la vide, à peine vidée, je la remplis de nouveau. J'en suis au troisième flacon.

« Tsukiko, qu'est-ce qui vous est arrivé ? » a demandé le maître. J'ai vaguement secoué la tête. « Rien. Rien, vous dis-je. Pourquoi voulez-vous qu'il m'arrive quelque chose ?

— S'il ne s'est rien passé, vous n'avez pas besoin de nier avec une telle insistance ! » Du poisson, il ne reste plus que les arêtes. Le maître a saisi entre ses baguettes les arêtes délicates. Elles sont impeccablement nettes. C'était vraiment délicieux. Le maître s'est tourné vers Satoru. Celui-ci murmure un remerciement. J'ai vidé précipitamment ma coupe. Le maître me regarde faire avec un air de reproche.

« Aujourd'hui, vous buvez trop, Tsukiko. » Il a dit cela avec douceur.

« Laissez-moi tranquille. » Et j'ai de nouveau rempli ma coupe. Je l'ai avalée d'un trait, et ma troisième bouteille s'est retrouvée vide.

« Encore une ! » ai-je dit à Satoru. Il a lancé un ordre bref en direction du fond. Tsukiko ! a dit le maître en essayant de voir l'expression de mon visage, mais je me suis détournée.

« Puisque vous avez commandé ce saké, on n'y peut rien, mais au moins, ne buvez pas tout ! » a dit le maître d'un ton qui ne lui était pas habituel, un ton péremptoire. En même temps, il m'a donné une petite tape sur l'épaule.

J'ai dit oui d'une petite voix. Le saké avait brusquement commencé de faire sentir ses effets. S'il vous plaît, tapez-moi encore sur l'épaule. J'avais du mal à articuler. Aujourd'hui, Tsukiko, vous faites l'enfant gâté ! a dit le maître en riant, et sa main a tapoté mon épaule plusieurs fois.

C'est que je suis une enfant gâtée, moi. Depuis toujours. Tout en bafouillant, j'ai tripoté les arêtes qui étaient dans son assiette. Les arêtes se sont doucement tordues. Le maître a ôté sa main de mon épaule, et il a porté lentement une coupe de saké à ses lèvres. Un bref instant, je me suis appuyée contre lui. Je me suis immédiatement éloignée. S'était-il rendu compte ou non que je m'étais pressée contre lui, en silence il a tranquillement approché la coupe de ses lèvres.

Quand j'ai repris conscience, j'étais chez le maître.

Je devais être allongée à même les tatamis. En levant les yeux, j'ai aperçu une petite table ronde, et en prolongement d'une ligne droite, les jambes du maître.

Hein ? Je me suis redressée d'un bond.

« Vous êtes réveillée ? » a dit le maître. Les volets étaient ouverts, les fenêtres aussi. L'air nocturne pénétrait dans la pièce. Il faisait un peu froid. Dans le ciel, on distinguait vaguement la lune. Elle était entourée d'un halo presque noir.

« Je me suis endormie ? » ai-je demandé.

Dans un rire, le maître a répondu : « Oui, vous dormiez ! » avant d'ajouter : « Et même, vous dormiez d'un profond sommeil ! »

Un coup d'œil sur ma montre. Il était un peu plus de minuit.

« Je n'ai pas tellement dormi ! Une petite heure ! »

Le maître a ri encore : « Réussir à dormir dans une maison qui n'est pas la sienne, c'est déjà bien ! » Il a le visage plus rouge que d'habitude. Aurait-il continué à boire pendant que je dormais ?

Pourquoi suis-je ici ? ai-je demandé. Le maître a écarquillé les yeux.

« Vous ne souvenez donc de rien ? C'est vous qui avez réclamé à grands cris de venir chez moi ! »

Ah bon, et je me suis de nouveau allongée sur les tatamis. Je sens la trame contre ma joue. Mes cheveux emmêlés sont épars. J'ai regardé, immobile, les nuages qui glissaient dans le ciel nocturne. Je ne veux pas partir en voyage avec Kojima Takashi. Cette pensée s'est nettement fait jour dans mon esprit. La joue plaquée contre le tatami, j'ai songé à cette gêne que je ressentais quand je me trouvais avec lui, presque indéfinissable, mais indéniable.

« Des marques du tatami, là, ai-je dit au maître, tout en restant étendue.

— Voyons ça, a dit le maître, en contournant la table pour venir de mon côté. En effet, elles sont bien visibles, d'une netteté ! » a-t-il dit en effleurant ma joue. Ses doigts sont froids. Il m'a paru plus grand que d'habitude. Sans doute parce que je lève les yeux de biais pour le regarder.

« Votre joue est tiède, Tsukiko ! »

Ses doigts ont continué d'effleurer ma joue. Le mouvement des nuages était rapide. Par moments, la lune disparaissait complètement, cachée par les nuages, l'instant d'après, elle apparaissait de nouveau.

« Je suis ivre, c'est pour ça que mes joues sont chaudes », ai-je répondu. Il vacille imperceptiblement. Est-ce que lui aussi, il est ivre ?

J'ai dit : « Vous ne voulez pas que nous allions ensemble quelque part ?

— Comment ça, quelque part ?

— Par exemple, dans une auberge réputée pour ses petites truites !

— Le restaurant de Satoru est amplement suffisant. » Et ses doigts se sont éloignés de ma joue.

« Alors, une station thermale dans la montagne ?

— Nul besoin d'aller dans un coin perdu, l'établissement de bains publics du coin fait très bien l'affaire. » Le maître s'est assis sur les talons à côté de moi. Il ne vacille plus. Comme d'habitude, il se tient très droit.

Je me suis redressée, et j'ai dit en le fixant bien dans les yeux : « Allons ensemble quelque part, rien que tous les deux. »

A son tour, le maître m'a regardée sans ciller et il m'a répondu : « Je n'irai nulle part.

— Je ne veux pas ! Je veux partir avec vous, tous les deux ! »

Est-ce que je suis ivre ? Je ne comprenais pas la moitié des mots que je prononçais. En fait, je comprenais tout, mais ma tête faisait semblant de n'en comprendre que la moitié.

« Enfin, où pensez-vous que nous puissions aller ensemble, vous et moi ?

— N'importe où, si c'est avec vous ! » J'avais crié.

Les nuages courent à travers la nuit. Le vent s'est mis à souffler. L'air est lourd, gonflé d'humidité.

« Calmez-vous, Tsukiko ! a dit le maître d'un ton léger.

— Je suis très calme !

— Rentrez vous coucher.

— Je ne veux pas rentrer chez moi !

— Ne dites pas de sottises !

— Ce ne sont pas des sottises ! Je ne dis pas n'importe quoi, je vous aime ! »

Au même moment, j'ai senti une onde de chaleur m'envahir. J'avais fait une gaffe. Une grande personne ne doit pas prononcer des paroles susceptibles de plonger l'autre dans le

179

trouble. Il ne faut jamais laisser échapper des paroles qui font que le lendemain matin, on ne peut plus se saluer avec le sourire.

Mais trop tard, je l'avais dit. Tout simplement parce que je n'étais pas une grande personne. Jamais je ne pourrais devenir adulte comme Kojima Takashi, de toute ma vie. J'aime le maître, à la fin ! Comme pour m'enfoncer davantage, j'ai répété les mêmes mots. Le maître ne me quitte pas des yeux, d'un air à la fois déçu et impuissant.

Très vite, le tonnerre s'est mis à retentir. Un moment plus tard, des rayons de lumière ont étincelé dans l'intervalle des nuages. Quelques secondes après, de nouveau, le tonnerre a grondé.

« C'est parce que vous proférez d'étranges paroles que le ciel à son tour fait des siennes… » a murmuré le maître, penché sur la véranda d'où il regardait le ciel.

Non, je n'ai rien dit d'étrange, ai-je répliqué. Le maître a un sourire amer.

« Il va y avoir de l'orage… » Et il a tiré les volets avec bruit. Ils glissent mal. Il a aussi fermé les fenêtres. Les éclairs sillonnent le ciel de part en part. La foudre se rapproche.

J'ai peur ! Et je me suis rapprochée de lui.

« Il n'y a pas à avoir peur. C'est simplement un phénomène électrique », a-t-il répondu d'un ton très calme, tout en s'appliquant à m'éviter. Moi, je me suis rapprochée de plus belle. La vérité c'est que j'ai une peur horrible du tonnerre.

N'allez surtout pas imaginer que j'ai des intentions particulières, non, simplement, eh bien, je suis morte de peur. Je serrais les dents en disant ça. Le grondement devenait de plus en plus violent. Une lame vive, et l'instant d'après, le roulement terrible. La pluie aussi s'était mise à tomber. Elle frappait de biais les volets, à grand bruit.

« Tsukiko ? » Le maître m'a jeté un coup d'œil intrigué. Les deux mains sur mes oreilles, raide comme un bâton, je me tenais assise à côté de lui.

« Vous êtes pour de bon effrayée, n'est-ce pas ? »

Sans un mot, j'ai incliné la tête. Le maître m'a considérée avec grand sérieux, puis il a éclaté de rire.

« Quelle fille bizarre vous faites ! » Il riait de plaisir.

« Venez plus près de moi. Je vais vous prendre dans mes bras. » Le maître m'a approchée de lui. Son haleine sent l'alcool. Du creux de sa poitrine me parviennent les effluves douceâtres du saké. Sans quitter sa position assise, le maître m'a renversée sur ses genoux, et il m'a tenue fermement serrée dans ses bras.

Comme dans un soupir, je l'ai appelé.

A son tour, il a murmuré mon nom. Sa voix était nette et pure, c'était une voix de prof. « Les enfants ne doivent pas imaginer de drôles de choses ! Ce sont les enfants qui ont peur du tonnerre, ne l'oubliez pas ! »

Le maître a ri bruyamment. Son rire se superposait au grondement du tonnerre.

Mais enfin, puisque je vous dis que je vous aime. A moitié sur ses genoux, je continuais à murmurer, mais mes paroles ont été immédiatement effacées par le bruit du tonnerre et le rire du maître.

Le tonnerre grondait de plus en plus fort. La pluie tombait comme si elle allait tout transpercer. Le maître riait. Moi, sans trop savoir ce que je faisais, j'avais abandonné la moitié de mon corps aux genoux du maître. Que penserait Kojima Takashi s'il nous voyait ?

Tout me paraissait vaguement absurde. Le fait que j'aie crié au maître que je l'aimais, qu'il ait désagréablement gardé son calme sans répondre à mon cri, le tonnerre qui s'était mis brusquement à gronder, la moiteur de la pièce qui retentissait du vacarme des volets frappés par la pluie, tout me semblait se passer comme en un rêve.

Est-ce que c'est un rêve ? J'ai interrogé le maître.

Peut-être, oui. C'est un rêve, qui sait ? Le maître a répondu comme s'il y prenait plaisir.

Si c'est un rêve, quand est-ce qu'il prendra fin ?

Oui, quand prendra-t-il fin ?

Je voudrais qu'il ne finisse jamais.

Si c'est un rêve, il finira un jour.

Immédiatement après l'éclair, le tonnerre a éclaté. La violence était telle que je me suis redressée. Le maître m'a caressé le dos.

Que le rêve ne finisse pas… ai-je dit encore une fois.

Oui, ce serait bien… a répondu le maître.

La pluie frappe le toit avec violence. Moi, renversée sur les genoux du maître, je suis raidie par l'effroi. Tout doucement, il continue de me caresser le dos.

L'île (1)

Voilà pourquoi, en définitive, je me trouve ici.

Posée dans un coin de la chambre, la serviette du maître. La même et immuable serviette.

« Tout entre dedans ? » ai-je demandé en cours de route, dans le train qui nous emportait. Il a hoché la tête.

« Pour mettre des affaires de rechange pour deux jours, c'est amplement suffisant. »

J'ai murmuré un oui respectueux. Tout en s'abandonnant aux cahots du train, le maître gardait une main négligemment posée sur sa serviette qu'il avait mise sur ses genoux. Comme ne faisant qu'un, la serviette et lui se balançaient légèrement au gré du mouvement du train.

Tous les deux nous avions d'abord pris le train, puis le bateau, tous les deux nous avions gravi le chemin qui grimpait dans l'île, et nous étions arrivés dans la petite auberge où nous nous trouvions maintenant.

Le fameux soir, celui où le tonnerre avait grondé à l'orée de la saison des pluies, j'avais fait preuve d'insistance. Avait-il cédé à mon obstination passionnée, était-ce cela qui l'avait décidé à partir en voyage ? Ou bien avait-il subitement changé d'avis pendant qu'il était allongé silencieusement dans la pièce à côté de celle où moi aussi, je ne faisais pas un geste, étendue sur le futon destiné aux invités qu'il avait déplié soigneusement à mon intention, en prenant la décision de partir ? Ou encore, est-ce que sans rime ni raison, l'envie toute pure de voyager avait éclos à l'improviste au-dedans de lui ?

Toujours est-il qu'il m'avait dit sans le moindre préliminaire : « Tsukiko, cela vous dirait d'aller sur une île samedi et dimanche prochains ? » C'était sur le chemin du retour de chez Satoru. La rue était toute mouillée de la pluie qui ne cessait de tomber. Par-ci par-là des flaques, qui recevaient la lumière des lampadaires et avaient l'air de flotter, toutes blanches, dans la nuit. Le maître ne cherchait pas à les éviter, il avançait d'un pas ferme. Moi, comme je ne voulais pas marcher dedans, je penchais tantôt d'un côté tantôt de l'autre. J'étais loin d'avancer d'une allure assurée, comme lui.

« Comment ? » J'étais stupéfaite.

« Enfin, n'est-ce pas vous qui l'autre soir réclamiez à cor et à cri que nous partions nous divertir à la montagne ?

— Nous divertir à la montagne ? » Comme une idiote, j'ai répété mot pour mot les paroles du maître.

« C'est une île où j'allais souvent, avant… »

Voilà le maître qui m'expliquait qu'il allait souvent sur l'île en question, avant. C'est que j'avais une raison d'y aller… a-t-il ajouté dans un murmure. Une raison, quelle raison ? Je l'ai interrogé. Mais il ne m'a pas répondu. Il s'est contenté d'accélérer le pas.

« Si vous êtes trop occupée, j'irai seul.

— Pas du tout ! Je viens, je viens ! » me suis-je hâtée de répondre.

Voilà pourquoi je suis ici.

Sur cette île, dont le maître a dit qu'il y venait souvent. Dans cette petite auberge. Le maître, et son éternelle serviette. Moi, et un sac de voyage flambant neuf. Tous les deux. Ensemble. Mais nous avons pris deux chambres. Le maître a insisté pour que je prenne la chambre qui donne sur la mer. Lui, celle qui donne sur l'intérieur, sur le mont qui donne sa forme à l'île.

A peine ai-je déposé mes affaires dans le *tokonoma*[1] de la chambre qui m'a été attribuée, celle qui a vue sur la mer, que je vais frapper à la chambre du maître. Toc toc. Toc toc. C'est votre mère. Agneaux, ouvrez la porte. Soyez sans

1. Renfoncement ménagé dans un mur, légèrement surélevé par rapport aux tatamis, que l'on décore avec une peinture sur rouleau adaptée à la saison ou aux circonstances, un vase ou un objet d'art.

crainte, je ne suis pas le loup. Vous voyez, j'ai les pattes toutes blanches.

Sans prendre la peine de s'assurer que c'est moi, le maître a tout de suite ouvert sa porte.

En même temps, un sourire aux lèvres, il a dit : « Bon, eh bien, si on se faisait une tasse de thé ? » Moi aussi, j'ai souri.

J'ai eu l'impression que la chambre du maître était légèrement plus petite que la mienne. Elle a pourtant six tatamis aussi, c'est sans doute parce que la fenêtre donne du côté de la montagne.

« Vous ne voulez pas venir dans ma chambre ? Elle est vraiment agréable, avec cette vue sur la mer… » Mais le maître a secoué la tête.

« Il n'est pas convenable qu'un homme pénètre impudemment dans la chambre d'une dame ! »

J'ai murmuré une réponse compassée. J'avais bien envie de continuer sur le ton, moi, ça ne me dérange pas du tout, impudemment ou pas ! mais à l'idée que je serais gênée si le maître ne riait pas, j'ai renoncé.

Je n'avais pas la moindre idée de la raison qui l'avait incité à m'emmener en voyage. Quand j'avais accepté de l'accompagner, il n'avait pas changé d'expression, dans le train également, il était resté « le maître », tel que je le connaissais. A présent, dans cette chambre, en train d'avaler son thé à petites gorgées, il avait exactement le même air que quand il se trouvait assis en face de moi à une petite table certains soirs où il n'y avait pas de place au comptoir chez Satoru.

Pourtant, nous étions là, tous les deux.

J'ai dit précipitamment : « Vous voulez une autre tasse de thé ?

— Je crois bien que oui », a-t-il répondu, et je me suis empressée de verser de l'eau chaude dans la théière. De la montagne, parvient le cri des mouettes. Leurs cris sont stridents, et donnent une impression de brutalité. En ce moment de la journée, à l'heure où s'éteint le souffle du vent, les mouettes semblaient tournoyer de tous les côtés de l'île.

« Nous allons faire le tour de l'île. »

En même temps, le maître s'est chaussé dans l'entrée. J'étais sur le point d'enfiler des sandales qui portaient le nom de l'auberge tracé au feutre, mais il m'a arrêtée.

« Contrairement à ce qu'on pourrait croire, l'île est très escarpée, toute en creux et en bosses », a-t-il dit en me désignant mes chaussures soigneusement rangées dans le petit meuble de l'entrée. Elles ont un talon un tout petit peu haut. Quand je les ai aux pieds, le sommet de mon crâne arrive à peu près au niveau des yeux du maître.

« Mais mes chaussures ne sont pas faites pour escalader des sentiers ! » ai-je répondu, et le maître a eu une furtive, oh, minuscule grimace. Si infime que personne ne pourrait s'en rendre compte. Mais moi, je ne laisse plus échapper à ma vigilance la moindre modification dans l'expression du maître.

« Ne prenez pas cette tête, je vous en prie !

— Quelle tête ?

— La tête de celui qui ne sait pas comment s'en sortir.

— Je vous assure que ce n'est pas le cas, et vous ?

— Moi, oui.

— Je ne pense pas.

— Et moi, quoi qu'on puisse me dire, je vous affirme que oui ! »

J'ai fini par dire n'importe quoi. J'ai enfilé les sandales de l'auberge, et j'ai suivi le maître. Il n'avait rien à la main et avançait lentement, le dos bien droit dans son gilet sans manches.

L'heure où nulle brise ne souffle avait pris fin, un vent léger se mettait à frôler la peau. Un voile de nuages s'accrochait à l'horizon. Le soleil, sur le point de tomber dans la mer, teintait de rouge diaphane la nuée.

« Combien de temps faut-il pour faire le tour de l'île ? » ai-je demandé en essayant de reprendre ma respiration au milieu d'un raidillon. Le maître, tout comme le jour où nous étions allés cueillir des champignons avec Satoru et son cousin, ne montrait pas le moindre essoufflement. Il avançait sans peine, le long de la côte qui conduisait au sommet de l'île.

« En marchant d'un pas rapide, quelque chose comme une heure, à peu près.

— En marchant vite ?

— A l'allure qui est la vôtre, il faudra sans doute trois heures.

— Trois heures ?

— Vous devriez faire davantage d'exercice, Tsukiko ! »

Le maître continuait de monter, je le perdais presque de vue. Renonçant à seulement tenter de suivre son rythme, je me suis arrêtée au milieu du chemin et j'ai regardé la mer. Le soleil couchant s'approchait de la mer. Les reflets lumineux se rehaussaient de pourpre, toujours plus intense. Où est-on donc ici ? Qu'est-ce que je peux bien faire sur cette colline, au milieu d'un chemin escarpé, près d'un village de pêcheurs inconnu entouré par la mer ? La silhouette du maître qui me devance s'éloigne de plus en plus. Je ne sais pas pourquoi, mais ce dos, ces épaules, me semblaient être ceux d'un étranger. Pourtant, nous étions partis tous les deux ensemble pour ce voyage – même s'il ne devait durer que deux jours – mais le personnage qui s'éloignait toujours davantage, lui, le maître, m'apparaissait comme un inconnu.

« Tsukiko, ne soyez pas inquiète ! » Le maître s'était retourné.

« Quoi ? » Du bas de la côte, j'ai élevé la voix, et il a fait un petit signe de la main.

« Quand on arrive au sommet de cette côte, le plus dur est fait, après ce n'est rien.

— C'est donc une si petite île ? On en aura fait le tour en arrivant en haut de la côte, c'est vrai ? » Encore une fois, le maître a fait un petit signe de la main.

« Tsukiko, utilisez un peu votre cervelle ! Vous devriez comprendre que c'est impossible !

— Mais…

— Comment voulez-vous que je fasse le tour de l'île avec quelqu'un d'aussi peu entraîné que vous, et en sandales de surcroît ! »

Décidément, il y tient, à mes sandales ! Dépêchez-vous de me rejoindre ! Ne restez pas comme ça à rêvasser ! Pressée par le maître, j'ai levé la tête.

« Mais alors, où avez-vous l'intention d'aller ?

— Venez plutôt, au lieu de marmonner ! »

Le maître s'est mis à faire de grandes enjambées. La fin de ce chemin en pente qui faisait le tour de la colline devenait soudain plus raide. La silhouette du maître était devenue invisible. Je me suis un peu affolée et j'ai enfoncé mon pied bien au fond des sandales pour tenter de le rattraper. S'il vous plaît, attendez-moi. Voilà, je viens. J'arrive. Je marchais sur ses traces, tout en parlant.

Quand on parvenait en haut du raidillon, on se trouvait au sommet de la colline. C'était une vaste étendue. Le long du chemin qui faisait suite à la pente, des arbres assez hauts montraient leurs branchages touffus. Quelques habitations étaient rassemblées au pied des arbres. Chaque maison était entourée d'un champ de petite dimension planté de concombres et de tomates. Sur le côté, des cages à poules, qu'on entendait caqueter paisiblement.

Une fois dépassé le groupe de maisons, on découvrait un petit marécage. Etait-ce parce que l'heure du crépuscule assombrissait l'endroit, le marais stagnait dans une eau vert sombre. Debout près de l'eau, le maître m'attendait.

« Tsukiko, venez me rejoindre ! » Le visage et le corps du maître, à contre-jour, paraissent tout noirs. Je ne distingue absolument pas l'expression de son visage. Comme si je tirais avec force sur mes pieds chaussés de sandales, je me suis hissée à côté du maître.

La surface du marais est couverte de petits nénuphars et de toutes sortes de plantes aquatiques. Des araignées d'eau frôlaient la surface de l'eau. Maintenant que j'étais à côté du maître, je pouvais distinguer son visage. Comme la surface de l'étang, il reflétait une expression paisible.

« Allons-y, vous voulez bien ? » a dit le maître, en même temps qu'il se mettait en marche. L'étang est tout petit. Le chemin le contourne, et cette fois, il descend légèrement. A la place des grands arbres de tout à l'heure, des taillis le bordent. Il se rétrécit, le revêtement se fait irrégulier.

« C'est là. » Il n'y a plus que de la terre battue, le sol tout à fait nu. Le maître a avancé avec une infinie lenteur sur la terre nue. Moi, je l'ai suivi, en faisant claquer mes sandales. Un petit cimetière s'est alors offert à ma vue.

Les tombes proches de l'entrée sont minutieusement nettoyées, mais là où les pierres tombales sont en forme de fuseau ou encore moussues et d'allure ancienne, les mauvaises herbes envahissent tout. Le maître s'est avancé jusqu'au bout du cimetière, foulant les herbes qui lui arrivaient aux genoux.

« Jusqu'où avez-vous l'intention d'aller ? » Je l'ai interpellé. Il s'est retourné et m'a souri. C'était un sourire terriblement doux.

« Tout près ! Voilà, c'est ici. » En même temps, il s'est accroupi devant une petite tombe. Peut-être pas autant que les vieilles pierres tombales qui l'entourent, cette petite tombe est recouverte de mousse humide. Devant la pierre, est posé un bol ébréché, à moitié rempli d'eau. Mais c'est peut-être aussi bien la pluie. Des taons nous volent autour du visage en bourdonnant.

Toujours accroupi, le maître a joint les mains. Les paupières closes, il se recueille, immobile. Les taons se relaient autour de nous. Chaque fois que l'un d'cux me frôle la joue, je tente de le chasser avec agacement, mais le maître ne semble pas y prendre garde et continue de se recueillir.

Enfin, il desserre les mains et se relève. Il fixe les yeux sur moi.

« C'est la tombe d'un parent ? ai-je demandé.

— Oui, enfin, je ne suis pas vraiment sûr qu'on puisse le dire comme ça… » Il a répondu de manière ambiguë.

Un taon s'est posé sur son front. Cette fois, il en a conscience et le chasse d'un grand geste. Surpris, le taon s'envole.

« C'est la tombe de ma femme. »

J'ai étouffé un cri. De nouveau, le maître a souri. Un sourire terriblement doux.

« Il paraît que… qu'elle est morte sur cette île. »

Très simplement, d'un ton monocorde, le maître m'a expliqué qu'après l'avoir quitté, elle avait fini par échouer sur cette île. Elle était venue sur un bateau qui faisait la liaison avec l'île principale. Elle n'avait pas été longue à quitter l'homme avec qui elle était apparemment partie, et elle avait fini sa vie dans un village situé à l'extrémité du cap, où elle s'était fixée, en compagnie d'un autre homme. Quand était-elle arrivée sur cette île, dans ce village si près du large ? Pour bientôt s'installer avec un homme, le dernier, sur cette île où une automobile ne passait pour ainsi dire jamais ? Il avait suffi d'une fois, la femme du maître était morte un jour, renversée par une voiture.

« Ma femme a vraiment mené une vie hors des sentiers battus, a conclu le maître avec un visage grave.

— En effet.

— Vraiment exceptionnelle.

— En effet.

— Quel besoin avait-elle de se faire écraser par une voiture dans cette île si paisible… »

Le maître avait dit cela d'un ton pénétré, puis il a souri doucement. Moi, tournée vers la tombe, j'ai joint les mains un bref instant, et j'ai levé les yeux vers le maître. Un sourire aux lèvres, il a abaissé son regard sur moi, avant de dire doucement :

« Tsukiko, je voulais venir ici avec vous.

— Avec moi ?

— Oui. C'est que je suis resté longtemps sans venir… »

Des mouettes lançaient leurs cris stridents en tournoyant au-dessus du cimetière, quelques-unes se sont groupées pour voler plus loin. Pourquoi avez-vous été pris de l'envie de m'amener ici ? Alors que ces mots franchissaient mes lèvres, les mouettes ont redoublé leurs cris. Ma voix n'est pas parvenue au maître, couverte par le cri des oiseaux.

« C'était vraiment quelqu'un de mystérieux… »
a murmuré le maître, tout en levant les yeux vers
les mouettes qui volaient haut dans le ciel.

« J'en suis à me demander si je ne continue
pas à me soucier d'elle, même maintenant… »

Même maintenant… Les mots me sont parvenus à travers les cris des mouettes. Même
maintenant. Même maintenant. C'est pour me
dire ça que vous m'avez amenée jusque sur
cette île sans vie ? J'ai crié dans ma tête. Mais
ce cri non plus n'a pas pris voix. J'ai fixé le
maître. Un sourire flottait sur ses lèvres. Mais
qu'est-ce qu'il avait, cet individu, avec son rire
insolent ?

« Je retourne à l'auberge ! » ai-je fini par articuler, et je lui ai tourné le dos. Il m'a semblé
entendre sa voix qui m'appelait, Tsukiko ! Mais
je me faisais peut-être des idées. J'ai rejoint en
courant le chemin qui menait du cimetière à
l'étang, j'ai dépassé le hameau et descendu la
pente. Plusieurs fois, je me suis retournée, mais
le maître ne m'avait pas suivie. Tsukiko ! J'ai eu
encore une fois l'impression d'entendre sa voix.
A mon tour, je l'ai appelé. Les mouettes sont
insupportables. Je suis restée un moment à
attendre, mais je ne percevais plus la moindre
voix. Etait-il en train de se recueillir, tout seul
dans le cimetière ? Seul, et ému. Tourné vers sa
femme, qui ne quittait pas ses pensées. Sa femme
morte.

Vieux con ! Intérieurement, je l'ai injurié, et puis j'ai répété pour de bon « Vieux con ! » plusieurs fois. Le vieux con est sûrement en train de faire le tour de l'île, de son pas alerte. Oublions le maître ! Oui, dès que je serai rentrée à l'auberge, je vais vite me plonger dans le minuscule bain à ciel ouvert ! Après tout, je suis venue sur cette île, hein, alors il faut que j'en profite. Avec ou sans le maître, je suis bien contente d'être en voyage ! D'ailleurs, j'ai toujours été seule jusqu'à maintenant. Sans personne pour boire du saké, sans personne avec qui me saouler, sans personne avec qui m'amuser.

J'ai dévalé la côte d'une seule haleine. Dans un instant, le soleil se serait enfoncé dans la mer. Les sandales claquent désagréablement, j'ai presque envie de les enlever. Le cri des mouettes qui retentit dans toute l'île m'est insupportable. La robe que j'ai étrennée à l'occasion de ce voyage me serre à la taille. Le dessus du pied me fait mal, tellement je suis obligée de retenir les sandales qui sont trop grandes pour moi et ont fini par irriter la peau. Aussi bien sur la plage que sur ce chemin, il n'y a pas âme qui vive, je me sens abandonnée. Et cet enfoiré de prof qui ne m'a pas suivie, j'enrage.

D'ailleurs, ma vie, au fond, c'est tout à fait ça. Sur une île inconnue, j'avance toute seule sur un chemin inconnu, au hasard, sans avoir trouvé la note juste avec cet homme, le maître, que je croyais connaître, qui en réalité est un inconnu. Puisque c'est comme ça, eh bien, vous allez voir ce que vous allez voir, je vais boire. On m'a dit que la spécialité de l'île, c'est les poulpes, les ormeaux et les grosses crevettes. Je vais me gaver d'ormeaux. Puisque c'est le maître qui m'a proposé de venir, la note sera pour lui. Comme j'aurai la gueule de bois et que je serai incapable de marcher, c'est lui qui me portera sur son dos. Oui, je m'étais bien dit, l'espace d'un instant, que je pourrais passer auprès de lui un temps plus ou moins long, mais il va voir, je vais faire en sorte de tout oublier.

L'auberge est allumée, une lanterne suspendue à l'auvent. Deux énormes mouettes sont posées sur le toit. Les pattes repliées sous elles, elles se tiennent immobiles à l'extrémité des tuiles, comme des dieux protecteurs. Le soir était tout à fait tombé, les mouettes avaient cessé de faire entendre leurs cris stridents, sans que je m'en sois aperçue. Bonsoir, ai-je crié tout en faisant glisser la porte de l'auberge. Du fond m'est parvenu un bonsoir lancé d'une voix claire. L'odeur du riz qu'on fait cuire flottait. J'ai jeté un regard vers l'extérieur, l'obscurité recouvrait tout.

Maître, il fait nuit. J'ai continué à parler à mi-voix. Maître, la nuit est tombée, dépêchez-vous de rentrer. Peu importe que vous pensiez toujours à votre femme, ça m'est égal, revenez vite et buvons ensemble du saké. Ma colère s'était évanouie, j'avais tout oublié tandis que je murmurais. Soyons amis, pas pour prendre le thé ensemble, non, compagnons dans l'alcool. Je n'en demande pas plus. Revenez vite. J'ai continué de parler à la nuit, sans me lasser. Je crois voir apparaître le maître dans l'obscurité du chemin qui monte à partir de l'auberge. Mais cette silhouette que j'avais cru apercevoir ne correspondait à rien, ce n'étaient que ténèbres. Maître, dépêchez-vous de revenir. Je n'en finissais pas d'implorer son retour à mi-voix.

Sur l'île (2)

« Regardez, Tsukiko, les poulpes apparaissent
à la surface ! » Et le maître pointait le doigt.
Moi, j'ai acquiescé énergiquement.

Disons qu'on peut considérer ce plat comme
une sorte de bouillon de poulpe. Après avoir
plongé dans l'eau bouillante d'une marmite
en terre des lamelles fines et transparentes, on
les saisit à l'aide des baguettes au moment
où elles font surface. Quelques gouttes de
vinaigre suffisent pour faire ressortir leur goût
délicieusement sucré qui se mêle dans la
bouche à l'acidité, offrant alors une saveur
ineffable.

« Une fois plongée dans l'eau bouillante, la
chair transparente devient toute blanche, vous
voyez ? » Le maître parle sur le même ton que
quand nous buvons du saké l'un à côté de l'autre
chez Satoru.

« C'est vrai, les morceaux sont blancs, oui. »
De mon côté, je ne suis pas à mon aise, ne
sachant sur quel pied danser. Est-ce que je dois

201

rire, ou bien garder le silence ? Je reste indécise, incapable de définir une attitude.

« Juste avant de blanchir, il y a un moment, très bref, où ils prennent une teinte rosée, vous n'avez pas remarqué ?

— Si. »

J'ai répondu d'une toute petite voix. Après m'avoir regardée avec une expression rieuse, il a saisi d'un coup trois lamelles avec ses baguettes.

« Vous voilà bien sage, Tsukiko ! »

Le maître avait fini par redescendre la côte, après un très long moment. Les mouettes s'étaient tues, l'obscurité épaissie. J'ai dit qu'il avait beaucoup tardé à redescendre, mais c'était peut-être au bout de cinq minutes. Je l'attendais, accroupie dehors, devant l'entrée de l'auberge. J'ai entendu le bruit léger de son pas, et il est sorti de l'obscurité, sans donner l'impression qu'il avait pu s'égarer. Je l'ai appelé, il a répondu par un « C'est vous, Tsukiko ? Bonsoir ! » puis nous avons franchi épaule contre épaule le seuil de l'auberge.

« Quels magnifiques ormeaux ! » s'est exclamé le maître, tout en éteignant le feu sous la marmite en terre. Sur un plat de dimension moyenne, sont disposées quatre coquilles, et chacune est généreusement remplie de sashimi d'ormeau.

« Tsukiko, surtout, mangez-en beaucoup ! »

Le maître a mis un peu de moutarde verte sur une tranche et l'a fait tremper dans de la sauce de soja. Il mâche avec lenteur. Les commissures de ses lèvres sont celles d'un vieil homme. Moi aussi, j'ai mordu dans la chair du coquillage. Comme je voudrais que les coins de ma bouche deviennent ceux d'une femme que la jeunesse a quittée ! Oui, c'est ce que je me suis dit à cet instant, très fort.

Bouillon de poulpe. Ormeaux. Coquillages *mirugai*. Poisson *kochi*. Crevettes grises. Langoustines frites. Un plat succédait à l'autre. Depuis l'assiette de poisson, le rythme du maître s'était ralenti. Il buvait à petites gorgées en inclinant légèrement sa coupelle de saké. Moi, j'avalais voracement tout ce qui se présentait et, parlant à peine, je vidais coupe sur coupe.

« Vous vous régalez, Tsukiko ? » me demanda le maître, du ton du grand-père qui s'attendrit en voyant l'appétit de sa petite-fille.

« Plutôt ! » ai-je répondu avec brutalité, avant de me reprendre pour dire : « Je me régale ! » cette fois en y mettant du cœur.

Arrivés aux légumes bouillis et aux condiments, le maître et moi avions le ventre plein. Nous avons refusé le riz, pour terminer le repas avec la soupe de miso. Elle avait un goût délicieux, et c'est en la dégustant que nous avons tranquillement fini de boire le saké qui restait.

« Bon, je crois qu'il est temps de regagner nos chambres », a dit le maître en se levant, les clés à la main. Moi, je me suis levée à sa suite, mais l'effet du saké était apparemment plus puissant que je n'avais cru, car je vacillais. J'ai essayé de faire un pas en avant, mais je me suis affalée sur le tatami devant moi.

« Oh là là ! a dit le maître en abaissant son regard sur moi.

— Au lieu de me regarder de toute votre hauteur, vous feriez mieux de m'aider ! ai-je protesté faiblement, et il a ri.

— Enfin, vous êtes redevenue semblable à vous-même ! » et il m'a tendu la main.

Il m'a tenue par la main pendant que je montais l'escalier. Nous nous sommes arrêtés au milieu du couloir, devant la porte de sa chambre. Il a mis la clé dans la serrure et l'a fait tourner avec un bruit sec. Tout tourbillonnait autour de moi, en même temps que je fixais sa silhouette de dos.

« Vous savez, Tsukiko, cette auberge est réputée pour la qualité de son eau chaude », a-t-il dit en se retournant. Heu, oui. J'avais une voix de fantôme, et je continuais à vaciller.

« Quand vous serez un peu remise, allez prendre un bain ! »

Heu, oui.

« Ensuite, vous reprendrez un peu vos esprits ! »

Heu, oui.

« Si après le bain, vous trouvez que la nuit est encore longue, venez dans ma chambre ! »

Heu, oui. Non, justement, je n'ai pas répondu comme ça. Par contre, j'ai écarquillé les yeux en disant : « Quoi ? » Hein, qu'est-ce que ça veut dire, ça ?

« N'allez pas chercher un sens particulier. » Tout en disant cela, le maître a disparu de l'autre côté de la porte.

La porte s'est refermée devant mon nez, moi, je suis restée quelques instants dans le couloir, légèrement vacillante. Dans mon esprit embrumé, j'ai répété les paroles du maître. Venez dans ma chambre. Il avait bien dit ça. Mais si j'allais dans sa chambre, que se passe-rait-il ? Il n'avait tout de même pas l'intention de jouer au jeu des fleurs[1] ou de faire une partie de cartes. Etait-ce pour continuer à boire ? S'agissant de lui, je pouvais aussi bien m'at-tendre à ce qu'il me déclare à brûle-pourpoint quelque chose du genre : « Si nous récitions des poèmes ? »

Attention, Tsukiko, tu ne dois rien espérer ! murmurais-je en me dirigeant vers ma chambre. J'ai ouvert la porte, j'ai allumé, pour voir appa-raître, déployé au beau milieu de la chambre, un

---

1. Jeu composé de quarante-huit petites cartes représentant douze sortes de fleurs qu'il faut regrouper par saisons.

futon pour une personne. Mes bagages se trouvaient rassemblés devant le *tokonoma*.

Je me suis changée, j'ai enfilé un *yukata*[1] et même après m'être préparée pour aller au bain, je continuais à me répéter : Pas de faux espoir ! Surtout pas de faux espoir !

L'eau de la source thermale était très douce à la peau. Je me suis lavé les cheveux, et j'ai pris plaisir à me plonger dans le bassin plusieurs fois, si bien que quand j'ai eu fini de me sécher soigneusement les cheveux dans la pièce attenante qui servait de cabinet de toilette, plus d'une heure s'était écoulée sans que je m'en sois rendu compte.

De retour dans ma chambre, j'ai ouvert la fenêtre, et l'air nocturne s'est engouffré. Bien plus que quand la fenêtre était fermée, le bruit des vagues, intense, donnait l'impression que la mer se rapprochait. Je suis restée un moment appuyée contre le chambranle.

Depuis quand le maître et moi étions devenus si proches l'un de l'autre ? Au début, il avait été pour moi un personnage très lointain. Il représentait à mes yeux « le prof » que j'avais eu autrefois, dans un lointain passé, un inconnu, un vieux. Même après avoir échangé avec lui

---

1. Le *yukata* est un vêtement de coton de même forme que le kimono. Auberges et hôtels en mettent toujours à la disposition des clients. Sert aussi de vêtement pour la nuit.

quelques mots, je ne savais pas quel visage il avait. C'était une présence indéfinissable à côté de moi, à ce comptoir où il buvait paisiblement son saké.

Seule sa voix est restée dans ma mémoire, dès le début. C'était une voix un peu haut placée, à laquelle se mêlaient pourtant des inflexions graves, une voix qui sonnait bien. Cette voix avait fini par affluer, pour déborder de cette présence immense et insaisissable à côté de moi au comptoir.

Quand au juste, je ne sais, en m'approchant de lui, j'en suis venue à sentir la chaleur qui émanait de son corps. Par-delà la chemise empesée, m'arrivait une odeur qui était la sienne. Une sensation de nostalgie. Cette présence que je devinais avait la forme même du maître. Une présence virile, mais tendre. Elle s'échappe quand je cherche à la saisir. La croit-on échappée qu'elle se rapproche d'elle-même.

Même si nos corps s'étaient unis, me serais-je pour autant emparée de cette présence ? D'ailleurs, ce qui est à l'origine de cette présence, cette chose vague et ambiguë, n'est-ce pas justement ce qui glisse entre les doigts au moment où on croit l'appréhender ?

Un gros papillon de nuit, attiré par la lumière, a pénétré dans la chambre. Il a tournoyé en faisant tomber la poudre de ses ailes. J'ai tiré sur le fil du commutateur, transformant la vive lumière en une veilleuse orangée. Le papillon s'est attardé un moment, mais bientôt il a disparu dans la nuit.

J'ai attendu quelque temps, mais le papillon n'est pas revenu.

J'ai fermé la fenêtre, j'ai resserré la ceinture de mon *yukata*, passé sur mes lèvres un peu de rouge et pris un mouchoir. J'ai fermé à clé la porte de ma chambre en évitant de faire le moindre bruit. Autour de la lampe qui éclairait le couloir, étaient rassemblés plusieurs papillons. Avant de frapper à la porte de la chambre du maître, j'ai inspiré profondément. J'ai pressé légèrement mes lèvres l'une sur l'autre, passé la main dans mes cheveux, puis j'ai de nouveau inspiré profondément.

« Vous êtes là ?

— La porte n'est pas fermée à clé. » Sa réponse m'est parvenue de l'autre côté de la porte. Avec précaution, j'ai fait tourner la poignée.

Le maître avait les coudes posés sur la table. Le dos tourné vers le futon poussé sur un côté, il buvait de la bière.

« Il n'y a pas de saké ? ai-je demandé.

— Si, dans le frigidaire, mais pour ma part, je n'en veux plus. » Il a pris la demi-bouteille sur la table et s'est servi. Dans le verre, s'élève une mousse gracieuse. Sur le frigidaire il y avait un plateau avec un verre retourné. Je l'ai pris et l'ai tendu sous le nez du maître. S'il vous plaît. En souriant, le maître l'a fait déborder de la même jolie mousse.

Sur la table, quelques portions de crème de gruyère, dans leur papier d'argent triangulaire.

« C'est vous qui les avez apportées ? » ai-je demandé, et il a hoché la tête.

« Quelle prévoyance !

— Je les ai fourrées dans ma serviette au moment de partir, une idée comme ça ! »

C'est une nuit paisible. Faiblement, parvient à travers les vitres le bruit des vagues. Deux demi-bouteilles de bière. Il les a ouvertes. Un bruit sec a retenti dans toute la chambre quand il les a décapsulées.

La deuxième bouteille était presque finie, et l'un comme l'autre avions pour ainsi dire cessé de parler. Le bruit des vagues enflait parfois.

Quel silence ! C'est moi qui parle, le maître hoche la tête. Au bout d'un moment : Quel silence ! Cette fois, c'est le maître qui parle, à moi de hocher la tête.

Le papier d'argent qui enveloppait le fromage était maintenant déchiré et froissé. J'ai rassemblé les parcelles brillantes et je les ai roulées en boule. Je me suis brusquement rappelé que quand j'étais petite, j'avais réussi à faire une énorme boule avec le papier qui enveloppait des petits bâtons de chocolat. Méticuleusement, j'avais déplié chaque morceau d'argent, passé dessus la main pour enlever le plus possible les plis, et je les avais collés les uns aux autres. Quand je découvrais parfois un papier doré, je le mettais à part. Est-ce que j'avais conservé les morceaux d'or dans un tiroir en bas de ma table pour les coller sur l'étoile qui décorerait le sommet de l'arbre de Noël ? Toujours est-il que quand Noël est arrivé, le papier d'or s'est retrouvé écrasé sous mes cahiers et ma boîte de pâte à modeler, tout froissé, je m'en souvenais très bien.

Quel silence ! C'était la énième fois, mais le maître et moi l'avons dit en même temps. Le maître a rectifié sa position sur son coussin. Moi aussi, je me suis assise, le buste droit. Tout en continuant à jouer des doigts sur le papier d'argent, je me suis placée exactement en face du maître.

Il a ouvert la bouche, comme s'il allait bâiller. Mais aucun son n'est sorti. Les coins de sa bouche donnent une impression de vieillesse. Plus que tout à l'heure pendant qu'il mâchait les ormeaux, j'ai ressenti, intensément, la sénilité. Tout doucement, j'ai détourné les yeux. En même temps, lui aussi a détourné son regard.

Le bruit des vagues est sans répit.

« Vous ne voulez pas vous coucher ? Il se fait tard », a dit le maître avec douceur.

J'ai dit oui. Qu'est-ce que je pouvais dire d'autre ? Je me suis levée, j'ai refermé la porte derrière moi, et je me suis dirigée vers ma chambre. Plus nombreux que tout à l'heure, les papillons dansent autour de la lampe du couloir.

Je me suis réveillée en sursaut au beau milieu de la nuit.

La tête me fait un peu mal. Dans la chambre, je ne sens aucune autre présence que la mienne. J'ai tenté de faire revivre cette présence indéfinissable du maître, mais je n'y suis pas parvenue.

Une fois réveillée, impossible de me rendormir. Le bruit de ma montre que j'ai posée à mon chevet, retentit tout près de mon oreille. Quand je le crois proche, il s'éloigne. Pourtant, la montre est toujours au même endroit. Quelle chose étrange !

Je suis restée immobile pendant un moment. Puis, j'ai introduit la main dans mon *yukata* et j'ai touché mes seins. Ils ne sont ni particulièrement mous ni particulièrement durs. Ma paume effleure une masse ronde et souple. Mais je n'éprouve nul plaisir à toucher distraitement mon propre corps. Je me suis alors demandé s'il ne suffisait pas, pour rendre la chose plus agréable, que je me représente le maître en train de me caresser, oui, je n'avais qu'à construire la scène à l'aide de mon imagination, mais j'ai senti immédiatement que ça n'aurait pas grand effet.

Je suis restée allongée pendant environ une demi-heure. Je croyais que le bruit des vagues me donnerait envie de dormir, mais je gardais les yeux bien ouverts, j'étais totalement réveillée. Peut-être bien qu'après tout le maître lui aussi avait les yeux grands ouverts dans le noir.

Une fois que cette idée m'est venue, elle n'a fait que s'amplifier et se développer. Au bout d'un moment, je me suis même imaginé que le maître m'appelait de sa chambre. Les idées qui viennent la nuit, si on ne les dompte pas, finissent par prendre des proportions gigantesques. Je ne tiens plus en place, incapable de me maîtriser. Sans allumer la lumière, j'ai ouvert tout doucement la porte de ma chambre. Je suis allée aux toilettes, au fond du couloir. Si ma vessie se vidait, je pensais que ma vision exagérée des choses se rétrécirait d'autant. Mais je n'ai trouvé aucun apaisement.

J'ai d'abord regagné ma chambre, de nouveau j'ai passé sur mes lèvres mon bâton de rouge, légèrement, et je suis allée me tapir devant la chambre du maître. J'ai collé mon oreille à la porte et j'ai écouté quelques instants. Exactement comme un voleur. Je perçois un léger bruit, qui n'est pas le souffle du sommeil. A force de tendre l'oreille, le bruit devient plus fort. J'ai appelé le maître dans un murmure. Que se passe-t-il ? Tout va bien ? Vous ne souffrez pas ? Voulez-vous que je vienne ?

La porte s'est ouverte soudain. Aveuglée par la lumière qui inondait la chambre, j'ai fermé les yeux.

« Ne restez donc pas plantée là, Tsukiko, venez ! » Le maître m'invitait du geste à entrer. Dès que j'ai rouvert les yeux, je me suis accoutumée à la lumière. Il m'a semblé qu'il était en train d'écrire quelque chose. Sur la table, quelques feuillets épars. « Qu'étiez-vous donc occupé à écrire ? » ai-je demandé, et il a pris sur la table une feuille de papier, qu'il m'a montrée.

La chair de la pieuvre, teintée de vermeil, si peu, voilà ce qui est écrit sur le papier. Tandis que je lisais le plus sérieusement du monde, il a dit : « Je n'y arrive pas, avec les cinq dernières syllabes du poème ! Qu'est-ce qui pourrait bien coller après *teintée de vermeil, si peu…* »

Je me suis calée lourdement sur un coussin. Pendant que je connaissais tous les tourments en pensant à lui, il se tourmentait pour des poulpes ou je ne sais quoi !

Je l'ai appelé d'une voix sourde. Il a lentement relevé la tête. Sur une des feuilles de papier qui jonchaient la table, il y avait le dessin maladroit d'une pieuvre. Le corps était parsemé de petites taches.

« Eh bien…

— Oui ?

— C'est-à-dire…

— Quoi donc ?

— Maître…

— Mais enfin, qu'est-ce qu'il y a ?

— *Au loin le grondement de la mer…* Que diriez-vous de quelque chose comme ça ? »

Il m'est absolument impossible de m'approcher du cœur du sujet. D'ailleurs, je ne sais même pas si on peut parler de « cœur du sujet » entre le maître et moi…

« *Pieuvre à la chair teintée de vermeil, si peu… et au loin le grondement des vagues…* dites-vous ? En effet, ce n'est pas mal du tout ! »

Sans remarquer mon air crispé de détresse, à moins qu'il ne fasse semblant de ne s'apercevoir de rien, le maître a couché le haïku sur le papier. Il l'écrit tout en le récitant.

« Oui, c'est décidément très bien ! Vous avez une sensibilité juste, Tsukiko ! »

J'ai vaguement murmuré quelque chose. Furtivement, j'ai passé un mouchoir en papier sur mes lèvres, de sorte qu'il ne puisse pas remarquer mon geste, et j'ai effacé mon rouge. Apparemment, le maître remanie le poème tout en murmurant diverses possibilités.

« Tsukiko, que pensez-vous plutôt de *Ah ! le grondement de la mer – de la pieuvre, si peu, la chair teintée de vermeil* ? »

Ce que je pense ? Je n'en ai rien à faire, oui ! J'ai ouvert ma bouche à présent décolorée, et encore une fois, d'un ton morne, j'ai acquiescé.

Lui, l'air tout réjoui, ne cesse de hocher la tête tout en contemplant la feuille de papier.

« C'est du Bashô ! » a-t-il lancé. Toute énergie m'a quittée et je n'ai même pas la force de répondre. Je me contente de hocher la tête. Tout en écrivant sur une feuille de papier *La mer s'enfonce dans le crépuscule, le cri d'une mouette, vague blancheur,* on trouve ce haïku chez Bashô, vous savez, et le voilà qui commence à me faire un cours. Là, en pleine nuit.

Il est possible de dire que le haïku que nous avons composé, vous et moi, s'inspire de celui de Bashô. C'est un poème original en ce qu'il rompt l'ordre naturel des sensations. Il n'aurait pas fallu dire *La mer s'enfonce dans le crépuscule, le cri d'une mouette, vaguement blanche.* Car, dans le cas que je vous cite, l'expression *vague blancheur* s'applique à la fois à la mer et aux mouettes. En plaçant à la fin *vague blancheur*, le haïku prend vie. Vous saisissez ? Oui, vous comprenez. Vous aussi, Tsukiko, essayez de composer un poème, vous voulez bien ?

Tant et si bien que sans le vouloir j'ai fini par me retrouver assise à côté de lui, à composer des haïkus. Comment en sommes-nous arrivés là ? Il était déjà deux heures du matin. A quoi rimait cette situation (c'est le cas de le dire), qui me voyait écrire, comptant les syllabes sur mes doigts, des poèmes maladroits du genre *Lueur dans la nuit, attire un grand papillon de nuit, l'air égaré* ?

Eperdue de rage, je lui ai composé des haïkus. C'était bien la première fois de ma vie que je composais des haïkus, mais je lui en ai fait plusieurs coup sur coup. Dix, vingt même. A la fin, je n'en pouvais plus et j'étais tellement à bout de forces que j'ai posé la tête sur le futon du maître, allongée sur les tatamis. J'ai fermé les yeux et j'ai fini par ne plus arriver même à soulever les paupières. Mon corps a été traîné (à ce qu'il paraît, c'est le maître qui m'a tirée) et déposé sur le matelas; à partir de là, j'ai perdu conscience, mais quand j'ai ouvert les yeux, on entendait toujours le bruit des vagues, et dans l'intervalle des rideaux, perçait un rayon de lumière.

Me sentant un peu à l'étroit, j'ai regardé à côté de moi et vu le maître qui dormait. J'avais sommeillé avec son bras pour oreiller. J'ai poussé un léger cri et je me suis dressée d'un bond. Puis, la tête en feu, je me suis sauvée dans ma chambre. Je me suis enfouie dans mon futon, pour immédiatement bondir hors des couvertures et me mettre à tourner en rond dans ma chambre, ouvrant les rideaux, les fermant, avant de plonger à nouveau dans mon futon, tirant l'édredon sur ma tête, rejetant de nouveau les couvertures… Finalement, la tête vide, je suis retournée dans la chambre du maître. Il m'attendait, couché, les yeux grands ouverts, dans la pénombre de la chambre où les rideaux étaient toujours tirés.

« Tsukiko, venez ! » a-t-il dit très doucement en rejetant sur le côté un pan de l'édredon.

Tout en murmurant un oui timide, je me suis enfoncée sous les couvertures. J'ai senti sa présence qui venait m'assaillir. J'ai enfoui mon visage dans sa poitrine en même temps que je l'appelais à voix basse. Il m'a embrassé les cheveux plusieurs fois. Il a caressé mes seins, à travers mon *yukata* d'abord. Puis, ce n'était plus à travers mon *yukata*.

« Quelle belle poitrine ! » a-t-il dit, exactement sur le même ton que quand il commentait pour moi les haïkus de Bashô. J'ai étouffé un rire, lui aussi.

« Vous avez des seins agréables. Vous êtes une fille vraiment bien, Tsukiko ! »

Et il m'a caressé la tête. Sa main caressait mes cheveux, interminablement. A force d'être caressée de la sorte, l'envie de dormir m'a envahie. Je vous préviens que je vais m'endormir, ai-je dit. Et il a répondu, oui, dormons.

Je ne veux pas dormir ! ai-je protesté dans un murmure, mais mes paupières refusaient de rester ouvertes. Ne sortait-il pas de la paume de ses mains quelque substance soporifique ? Je ne veux pas dormir. Je veux qu'il me serre dans ses bras. Voilà ce que j'ai tenté de dire, mais je n'arrivais pas à former les mots. Je ne veux pas dormir, je ne veux pas, je, pas. Les syllabes devenaient de plus en plus hachées.

Insensiblement, les mains du maître s'étaient immobilisées. J'entendais le bruit léger de son souffle. J'ai rassemblé mes dernières forces et j'ai murmuré : « Maître ! » A son tour, il a répondu dans un souffle : « Tsukiko ! »

Le cri des mouettes au-dessus de la mer effleure mon oreille qui cherche à sombrer dans le sommeil. Maître ! Ne vous endormez pas ! Je voudrais parler, mais je ne peux plus. Blottie contre lui, je suis entraînée dans un sommeil profond. Je perds tout espoir, je renonce à lutter. Désespérée, je plonge au fond de mon sommeil, loin du sommeil du maître. Dans la clarté du petit matin, le cri des mouettes.

La grève (rêve)

Je me disais bien que j'entendais un remue-ménage dehors, c'était le camphrier. Tantôt il me semblait entendre *viens ! viens !* Tantôt, *qui ? qui ?* A travers la fenêtre entrouverte, j'ai tendu le cou et j'ai regardé. Une multitude de petits oiseaux volent dans les branchages. Leur mouvement est rapide. Si rapide qu'il est impossible de discerner leur forme. Mais les feuilles s'agitent, et je devine ainsi leur présence.

Cela me rappelle que dans le cerisier qui est planté dans le jardin du maître, les oiseaux venaient avant. C'était le soir. Ils agitaient leurs ailes plusieurs fois dans l'obscurité, avant de faire le silence. Les petits oiseaux dans le camphrier ne s'arrêtent jamais. Ils continuent de battre des ailes. Et chaque fois, le grand arbre s'agite : *Venez ! Venez !*

Il y avait un certain temps que je n'avais pas vu le maître. J'avais beau aller chez Satoru, je n'y voyais plus sa silhouette de dos au comptoir.

Les branches du camphrier mènent grand tapage, et tout en écoutant leurs cris, j'ai décidé ce soir encore d'aller chez Satoru. Les fèves ont fini leur temps, mais je suis persuadée que les haricots en branches ont fait leur apparition. Les oiseaux dans le camphrier n'arrêtent pas d'agiter le feuillage.

J'ai commandé un tôfu froid, et je me suis installée à l'extrémité du comptoir. Le maître n'est pas là. Ni à l'autre bout du comptoir, ni à une table.

J'ai terminé ma bière, je suis passée au saké, mais le maître ne s'est pas montré. Un instant, je me suis demandé si je n'irais pas voir chez lui, mais cela m'a semblé trop indiscret. A force de vider distraitement coupe sur coupe, le sommeil m'a gagnée.

Je suis allée aux toilettes, et j'ai regardé dehors à travers la petite fenêtre. A regarder ainsi le ciel bleu par la fenêtre des cabinets, je me suis sentie envahie de tristesse, oui, il me semblait avoir lu un poème de ce genre, pensais-je tout en me soulageant. Les fenêtres des cabinets invitent à la mélancolie, à n'en pas douter.

Décidément, je crois que je vais aller chez lui. Je suis sortie des toilettes avec cette idée en tête, pour m'apercevoir que le maître était là. Il s'était assis en laissant un intervalle libre, le dos bien droit, comme d'habitude.

« Voilà le tôfu froid ! » Satoru tendait le bol par-dessus le comptoir. Le maître s'en est emparé et a soigneusement versé dessus de la sauce de soja. D'un geste rapide, il saisit un morceau entre ses baguettes et le porte à la bouche.

« C'est vraiment très bon ! » a-t-il lancé dans ma direction après un regard furtif. Comme si nous bavardions depuis longtemps, sans préambule, sans un bonjour, comme ça, tout de go.

« Moi aussi, j'ai mangé la même chose tout à l'heure », ai-je dit. Il a opiné de la tête.

« Le tôfu, c'est vraiment quelque chose de remarquable.

— Vraiment.

— Chaud, froid, mijoté, frit… Il s'accommode de n'importe quelle façon. » Les mots avaient coulé avec fluidité, tandis qu'il portait à ses lèvres sa coupelle de saké.

Buvons, vous voulez bien, ça fait longtemps. Et j'ai versé du saké dans sa coupe. Oui, buvons, Tsukiko ! A son tour, il me sert.

En définitive, ce soir-là, nous sommes restés à boire jusqu'à une heure avancée de la nuit. Cela ne nous était jamais arrivé, de rester aussi tard.

Ces drôles d'aiguilles alignées sur la ligne d'horizon, est-ce que ce sont des bateaux qui partent au large ? Nous les avons suivis des yeux un long moment, le maître et moi. A force de garder le regard rivé sur eux, les yeux, desséchés, se mettent à picoter. Je me suis lassée assez vite, mais lui continuait à les fixer.

« Vous n'avez pas chaud ? » ai-je demandé, mais il a secoué la tête.

Je me demandais où nous étions. Je buvais du saké en compagnie du maître. J'avais compté le nombre de flacons que nous avions vidés, mais je ne m'en souvenais pas. Tout en déplaçant son regard de la ligne d'horizon vers le banc de sable, le maître a murmuré : « Ah, ce sont de petites coques ! » Sur la grève, une foule de gens s'amusent à ramasser les coquillages que la mer a abandonnés sur le sable.

« C'est pourtant déjà l'été ! On en trouve donc encore par ici ? » a-t-il continué.

J'ai demandé : « Où sommes-nous ? »

— Nous avons fini par revenir… » a-t-il seulement répondu.

Revenir ? Mais oui, une fois de plus. Savez-vous, c'est un endroit où on ne peut pas s'empêcher de revenir de temps en temps. Comme pour retenir la question qui me venait déjà aux lèvres, un endroit où on ne peut pas s'empêcher de revenir ?, le maître a enchaîné avec bonne humeur : « J'aime mieux les praires que les coques !

— Moi, c'est le contraire ! » ai-je répondu, entraînée par son allant. Les oiseaux n'en finissent pas de tournoyer au-dessus de la mer. Le maître a délicatement déposé son verre de saké sur un rocher. Il est encore à moitié plein.

« Tsukiko, ne vous gênez pas pour prendre mon saké ! » J'ai alors regardé ma main, et j'ai vu que moi aussi, je tenais un verre, j'ignorais depuis quand. Il était presque vide.

« Quand vous aurez fini de boire, cela ne vous fait rien que je me serve du verre comme cendrier ? » Si bien que je me suis hâtée de vider le restant de saké.

« Je m'en veux un peu ! » a-t-il dit en s'emparant du verre pour y faire tomber la cendre de sa cigarette. Dans le ciel, de légers nuages s'étirent. Du banc de sable, monte parfois l'écho de cris d'enfants. J'ai trouvé un énorme coquillage ! semblent-ils dire.

« Où sommes-nous ?

— Pour tout dire, je ne sais pas. » Le maître a répondu en tournant les yeux vers le large.

« Avons-nous quitté le troquet de Satoru ?

— Il est bien possible que nous n'en soyons pas sortis.

— Quoi ? »

Je suis restée stupéfaite, tant ma voix m'a semblé désagréablement aiguë. Le maître continue de contempler le large. Le vent est humide. Il apporte avec lui l'odeur de la mer.

« Parfois, oui, il m'arrive de venir ici, c'est plus fort que moi, mais avec quelqu'un, c'est la première fois », a-t-il dit en plissant les yeux.

« Quand je dis que nous sommes venus ensemble, c'est peut-être une simple idée que je me fais… »

Les rayons du soleil sont aveuglants. Stridents les cris des oiseaux. Rien n'empêche d'entendre leurs voix comme s'ils disaient *viens! viens!* Sans que je sache comment ni pourquoi, j'ai à la main un verre de saké. Il est rempli à ras bord. Je l'ai avalé d'un trait, mais l'ivresse ne vient pas. Oui, c'est un endroit comme ça. Le maître a prononcé ces mots comme s'il parlait pour lui seul.

« Dites-moi », a dit le maître. Tandis qu'il parlait, le contour de son visage a commencé de s'estomper.

« Qu'y a-t-il? » ai-je demandé, et il a pris alors une expression triste.

« Je reviendrai, sans faute! » A ces mots, il a disparu sans bruit. La cigarette qu'il fumait s'est volatilisée, elle aussi. J'ai parcouru plusieurs mètres dans toutes les directions, en vain. Quand on laisse une bouteille vide sur les rochers, elle disparaît en un clin d'œil. Exactement de la même manière que le maître. Sûrement, c'est un endroit comme ça. Moi, tout en buvant verre sur verre de ce saké qui se renouvelait sans cesse dans ma main, j'ai contemplé le large.

Fidèle à sa promesse, le maître n'a pas tardé à revenir.

« Vous en êtes à combien de verres ? a-t-il demandé en se glissant derrière moi.

— Je ne sais pas. » J'étais légèrement grise. Car enfin, cela avait beau être « un endroit comme ça », on finissait tout de même par s'enivrer à force de boire autant. Rien d'étonnant.

« Voilà, je suis revenu ! a lancé le maître presque brutalement.

— Vous étiez retourné chez Satoru ? » Tout en secouant la tête, il a répondu : « Je suis rentré chez moi.

— Eh bien, vous avez fait vite !

— Les ivrognes ont curieusement l'instinct très développé quand il s'agit de retrouver leur nid ! » a-t-il dit avec dédain. Moi, j'ai ri, et j'ai versé le contenu de mon verre sur les rochers, en guise d'applaudissement.

« S'il vous plaît, donnez-moi le verre vide ! » Comme tout à l'heure, le maître tenait une cigarette entre ses doigts. Lui qui ne fume que rarement quand nous allons boire ensemble, est-ce qu'il fumait toujours quand il venait ici ? Il a réussi à faire tomber dans le verre la cendre de sa cigarette, de justesse.

La plupart de ceux qui étaient sur le banc de sable portaient un chapeau. La tête à l'abri, ils s'accroupissaient, à la recherche de coquillages. Une ombre courte se dessinait au niveau de chaque postérieur. Tournés dans la même direction, tous cherchaient des coquillages.

225

« Quel plaisir peuvent-ils bien y trouver ? a demandé le maître en écrasant soigneusement sa cigarette sur le bord de la bouteille.

— Comment ça, quel plaisir ?

— Eh bien, à chercher comme ça des coquillages… »

Brusquement, il s'est mis à faire la perche sur un rocher. Comme les rochers sont inclinés, le corps du maître oscille. Pourtant, au bout d'un moment, il s'est stabilisé.

« Vous ne croyez pas qu'ils vont en faire leur dîner ?

— Vous voulez dire, les manger ? » Sa voix partait de ses pieds pour monter à mes oreilles.

« A moins qu'ils ne les élèvent…

— Les coques ?

— Autrefois, j'élevais des escargots.

— Elever des escargots, ça n'a rien d'extra-ordinaire !

— Mais c'est la même chose, ce sont des coquillages !

— Les escargots, des coquillages ? Voyons, Tsukiko !

— C'est vrai, ça ne tient pas. »

Il continue à faire la perche. Mais je ne m'en étonne plus. C'est l'endroit qui veut ça. Et puis, ça me revient. Je me souviens de la femme du professeur. Je ne l'ai jamais rencontrée, mais je me souviens d'elle à présent.

Elle aimait la prestidigitation. Elle avait commencé par apprendre les tours élémentaires, comme faire apparaître des balles rouges entre ses doigts, puis elle était passée aux tours avec des animaux, et elle avait fini par atteindre un niveau très honorable. Ce n'était pas pour montrer aux gens. Elle se contentait de s'exercer à la maison, toute seule. Il arrivait parfois qu'elle montre au maître un tour qu'elle avait appris, mais c'était extrêmement rare. Il se doutait bien qu'elle s'entraînait avec ardeur dans la journée, mais de là à imaginer jusqu'à quel point... Il savait aussi qu'elle élevait des lapins et des pigeons en cage, mais ces animaux destinés à la prestidigitation étaient plus petits et moins vifs que les autres. Même élevés dans la maison, on finissait très vite par oublier leur existence.

Un jour, le maître s'était éloigné de l'école car il avait à faire, et tandis qu'il marchait dans une rue commerçante pleine d'animation, voilà qu'une femme qui ressemblait exactement à la sienne arrive dans sa direction. Mais son allure et ses gestes étaient très différents de ceux de sa femme. Elle avait une robe voyante qui lui dénudait les épaules et donnait le bras à un homme vêtu d'un costume comme n'en mettent pas les gens honnêtes, et qui portait une moustache. Si elle avait un côté fantaisiste, il n'était cependant pas dans les goûts de la femme du maître d'aimer se faire remarquer. Dans ces conditions, cela ne pouvait pas être elle, et le maître a détourné les yeux, concluant qu'il s'agissait seulement d'un sosie.

Le sosie et l'homme à moustache se rapprochaient à vue d'œil. S'il a tout d'abord regardé ailleurs, le maître a vite senti son regard revenir vers le couple, comme attiré malgré lui. La femme riait. Son rire était exactement celui de l'épouse. Tout en riant, elle a sorti un pigeon de sa poche. D'un même mouvement, elle l'a fait s'envoler sur l'épaule du maître. Puis, de l'échancrure de sa robe, elle a sorti un petit lapin qui s'est perché sur l'autre épaule. Le lapin restait immobile, tel un objet de décoration. Le maître lui aussi était pétrifié. Enfin, de sous sa jupe, elle a sorti un singe, qu'elle a installé sur le dos du maître.

« Eh bien, qu'en dis-tu ? a demandé la femme, rayonnante.

— Mais alors, c'est toi ? Sumiyo ? »

Au lieu de répondre, elle a grondé le pigeon qui agitait les ailes. L'oiseau s'est bientôt calmé. L'homme à la moustache et la femme se tenaient par la main, sans se lâcher. Le maître a tout doucement posé à terre le pigeon et le lapin, mais il a eu un mal fou à se débarrasser du singe qui restait agrippé à son dos. L'homme a serré la femme contre lui. Puis il lui a passé un bras autour des épaules et ils se sont éloignés sans bruit.

« Votre femme s'appelait donc Sumiyo… » Le maître a hoché la tête.

« Sumiyo, c'était vraiment une femme pas comme les autres, je vous assure !

— Oui.

— Après avoir quitté la maison, il y a une quinzaine d'années, elle a souvent changé de région, apparemment. Eh bien, figurez-vous qu'elle ne manquait jamais de m'envoyer des cartes postales, fidèlement et régulièrement. »

Le maître a cessé de faire la perche, il se tient à présent sur un rocher, assis sur les talons. Il qualifie sa femme de bizarre, mais que dire alors de lui ?

« La dernière carte que j'ai reçue remonte à cinq ans, elle portait le cachet de l'île où nous sommes allés l'autre jour… »

Sur les bancs de sable, les gens sont devenus plus nombreux. Ils sont accroupis, le dos tourné vers nous, et continuent de chercher avec ardeur des coquillages. On entend des cris d'enfants. Leurs voix me parviennent par intermittence, comme si elles provenaient d'une cassette mal enroulée.

Tout en rejetant la fumée de sa cigarette dans la bouteille de saké vide, le maître a fermé les yeux. Puisque je peux me rappeler avec une telle netteté la femme du maître que je n'ai pourtant jamais vue, à plus forte raison devrais-je être capable de me souvenir de moi-même, mais je ne me souviens de rien. Au large, les bateaux ne font qu'étinceler de lumière.

« Quel genre d'endroit est-ce, ici ?

— Eh bien, c'est un endroit intermédiaire, je crois…

— Intermédiaire ?

— Une frontière, si vous voulez. »

Mais la frontière de quoi ? Le maître a-t-il l'habitude de fréquenter de tels endroits ? J'ai avalé d'un trait le verre de saké qui se trouve de nouveau plein dans ma main, combien en ai-je bu déjà, et j'ai regardé la grève. Les silhouettes m'apparaissaient floues.

« Nous avions un chien… » a commencé le maître tout en posant sur un rocher la bouteille vide. Pendant que je la regardais, elle a disparu soudain.

« Oui, nous avions un chien. Mon fils était encore petit, je crois. C'était un *shiba*. J'aime beaucoup cette race, pour ma part. Ma femme préférait les bâtards. Une fois par exemple, elle avait ramené à la maison un chien tout à fait bizarre, qui tenait à la fois du teckel et du bouledogue, on le lui avait donné et je crois me rappeler que nous l'avons gardé très longtemps, oui, il a vécu très vieux… Elle l'aimait beaucoup, ma femme, ce chien. Le *shiba*, ça devait être avant. Il avait mangé quelque chose qui l'avait rendu malade et finalement il est mort. Mon fils a eu beaucoup de chagrin, inutile de le dire. Moi aussi, j'étais triste. Mais ma femme n'a pas versé une seule larme. Au contraire, elle avait l'air furieuse. Je veux dire qu'elle était en colère contre mon fils et contre moi qui pleurnichions.

Quand je l'ai enterré dans le jardin, ma femme a brusquement dit à mon fils : Chiro va renaître, ne t'inquiète pas ! Tu verras, il ne va pas tarder à prendre une autre forme… C'est sans doute mon fils qui a demandé, les yeux pleins de larmes : Mais en quoi est-ce qu'il va renaître ?

En moi !

Quoi ? Mon fils écarquillait les yeux. Même moi, j'étais stupéfait. Est-ce qu'elle se rend compte de ce qu'elle dit, cette bonne femme ? Contre-nature ! Même pas capable de consoler son fils !

Maman, ne dis pas comme ça des choses bizarres ! a répliqué mon fils, à moitié en colère.

Mais non, ce n'est pas bizarre ! Peuh ! a répété Sumiyo, avant de rentrer dans la maison sans insister. Pendant quelque temps, nous avons coulé des jours tranquilles. Mais voilà qu'au bout d'une semaine peut-être, alors que nous étions en train de dîner, elle s'est mise brusquement à aboyer.

C'était comme un léger *ouah !* Chiro aboyait d'une voix aiguë et elle avait pris exactement la même voix. Puisqu'elle savait faire des tours de passe-passe, elle était probablement plus douée que les autres, mais de là à calquer la voix du chien… Vraiment, c'était la même voix, je n'en revenais pas.

Cesse cette plaisanterie de mauvais goût ! ai-je dit, mais Sumiyo a ignoré mes paroles. Tout au long du repas, elle a continué à lancer ses *ouah ! ouah !* Ça nous a complètement coupé l'appétit, à mon fils et à moi, et nous avons quitté la table très vite.

Le lendemain, Sumiyo était redevenue la femme que je connaissais, ma femme. Mais mon fils n'était pas calmé pour autant. Maman, je veux que tu t'excuses. Il la harcelait, avec une expression tendue. Qu'est-ce qui lui est passé par la tête, Sumiyo s'est contentée de répondre d'une voix égale, comme si c'était la chose la plus naturelle du monde, mais qu'est-ce que tu veux, Chiro a subi une métamorphose, il est venu en moi ! Bien sûr, mon fils s'échauffait de plus belle. Au bout du compte, l'histoire en est restée là, et ni Sumiyo ni mon fils ne se sont présenté un semblant d'excuse. Plus tard, ils ont définitivement cessé de s'entendre, et quand mon fils est sorti du lycée, il a choisi de s'inscrire dans une université éloignée, il a pris une chambre dans une pension, et c'est dans la même région qu'il a trouvé du travail. Même après la naissance de son enfant, nous nous sommes relativement peu vus. J'avais beau demander à ma femme si son petit-fils lui était indifférent ou si c'était seulement qu'elle n'avait pas envie de le voir trop souvent, elle se contentait de répondre quelque chose du genre, ce n'est pas ça. Et puis à force, un jour, elle est partie. »

« En définitive, où est-on ici ? » J'avais posé la même question combien de fois déjà ? Une fois de plus, le maître est resté sans répondre.

Sumiyo haïssait-elle à ce point le malheur ? Tenait-elle en aversion les larmes et les plaintes qu'il nous arrache ?

Je me suis tournée vers le maître et j'ai dit : « Vous chérissiez votre femme, n'est-ce pas ? »

Il m'a lancé un regard de travers en grommelant une parole de mépris.

« Que je l'aie aimée ou que sais-je encore, de toute façon, elle n'en faisait jamais qu'à sa tête !

— Vraiment ?

— Capricieuse, égoïste, versatile !

— Tout cela veut dire la même chose, n'est-ce pas ?

— Mais oui, je sais ! »

La grève s'est estompée dans la brume, effaçant les contours. Il n'y a plus rien, et dans cet endroit qui ne semble fait que d'air, le maître et moi, nous nous tenons debout, un verre de saké à la main.

« Où est-ce ici ?

— Ici, eh bien, c'est ici ! »

D'en bas parviennent de temps à autre des voix d'enfants. Ce sont des voix lointaines.

« Nous étions jeunes, Sumiyo et moi…

— Mais vous êtes encore jeune !

— Ce n'est pas ce que je veux dire…

— J'en ai assez de boire du saké à même le verre.

— Nous pourrions descendre sur la grève et chercher des coques, pourquoi pas ?

— Mais ça ne se mange pas cru !

— Il n'y aura qu'à les faire griller, nous allumerons un feu !

— Les griller ?

— C'est fastidieux, n'est-ce pas ? »

On entendait une sorte de vacarme. C'est le camphrier qui fait ce bruit, de l'autre côté de la vitre. C'est la belle saison. Il pleut souvent, mais la pluie qui mouille les feuilles de l'arbre les rend toutes luisantes. Le maître s'est remis à fumer d'un air distrait.

Ici, c'est une frontière, vous savez. J'ai eu l'impression que le maître avait ouvert la bouche et qu'il avait prononcé ces mots, mais en réalité, avait-il parlé ou non ?

J'ai demandé : « Depuis quand avez-vous commencé à venir ici ? » En souriant, il a répondu : « Je crois que j'avais sensiblement l'âge que vous avez maintenant, Tsukiko… Je ne peux pas expliquer pourquoi l'envie me prend de venir ici… »

Retournons chez Satoru, s'il vous plaît. Ne restons pas dans cet endroit étrange, dépêchons-nous de partir. J'ai appelé le maître. Oui, allons-nous-en. Mais comment faut-il faire pour partir d'ici ? me répond le maître.

De la grève, de nombreuses voix nous parviennent. Derrière la vitre, le camphrier s'agite. Le maître et moi, un verre de saké à la main, restons plantés là, immobiles. Les feuilles du camphrier s'appellent entre elles. *Viens ! Viens !*

Le grillon

Ces derniers temps, je ne vois plus le maître.

Depuis que nous sommes allés dans cet endroit étrange, en fait je ne crois pas que ce soit à cause de ça, mais je l'évite.

Je ne m'approche plus de la boutique de Satoru. Ma promenade des jours de congé, quand vient le soir, je ne la fais plus. Je m'abstiens de mettre ne fût-ce que le pied dans la rue commerçante où se trouve le vieux marché, j'expédie les courses au grand supermarché devant la gare. Je ne vais pas non plus chez l'unique bouquiniste du quartier, ni chez les deux libraires. A condition d'observer ces précautions élémentaires, je dois pouvoir éviter de me trouver nez à nez avec lui. Ce n'est pas plus difficile que ça.

C'est tellement simple que si ça se trouve, je pourrais peut-être passer toute ma vie sans le voir. Et si je ne le vois plus, plus jamais, il me sera possible alors de renoncer...

« On le nourrit, alors bien sûr, il finit par grandir ! » Je me suis rappelé cette parole de ma grand-tante, qu'elle se plaisait à répéter quand elle était en vie. En dépit de son âge, elle était bien plus libérée que ma mère. Après la mort de mon grand-oncle, elle s'est entourée de soupirants, et elle passait son temps à sortir, un jour au restaurant, une autre fois une promenade en voiture, elle allait jouer au croquet[1] aussi.

« L'amour, ce n'est pas autre chose ! » Oui, voilà ce que ma grand-tante aimait à dire.

Si c'était un grand amour, il était primordial d'en prendre soin, comme d'une plante à qui on donne de l'engrais ou qu'on protège de la neige. S'il s'agissait d'une autre espèce d'amour, inutile de s'inquiéter, il suffisait de le négliger en attendant qu'il se dessèche. C'est ce que ma grand-tante se plaisait à dire, comme elle aurait énoncé une évidence.

Si elle ne se trompait pas, il me suffirait de rester longtemps sans voir le maître pour que mon sentiment pour lui s'étiole et finisse par mourir.

Voilà pourquoi depuis un certain temps je m'appliquais à éviter le maître.

En sortant de chez moi, on longe quelque temps une grande artère, puis on débouche sur une route qui conduit à des quartiers d'habitation, et en continuant sur une centaine de

---

1. Ce jeu (en réalité « gate-ball ») est en vogue chez les personnes âgées, pour qui c'est une occasion de se retrouver.

mètres le long d'une rivière, on tombe sur la maison du maître.

Elle ne donne pas sur la rivière, elle fait suite à trois maisons. Par le passé, il y a une trentaine d'années, chaque fois qu'un typhon sévissait, la rivière débordait et les habitants se retrouvaient les pieds dans l'eau. Au moment de la grande croissance économique, on a réalisé d'importants travaux et la rivière s'est retrouvée enfermée entre des parois de béton. Elle a été creusée très profond et s'est élargie.

Avant, elle avait un cours rapide. Elle coulait d'un mouvement vif, si vif qu'en la suivant des yeux on ne pouvait pas déceler si son eau était transparente ou légèrement trouble. Peut-être ce courant intime et familier détenait-il un pouvoir de séduction, toujours est-il qu'il y avait de temps à autre des gens tentés de se jeter à l'eau. On raconte que la plupart du temps, ils ne réussissaient pas à se noyer et se retrouvaient en aval de la rivière sans avoir atteint leur but, sauvés malgré eux.

Les jours de congé, pas précisément dans le but de rencontrer le maître, j'avais l'habitude de flâner le long de cette rivière pour aller au marché en face de la gare. Mais depuis que j'avais décidé de ne pas prendre le risque de tomber sur lui, cette promenade m'était devenue impossible. Je ne savais plus comment passer mes jours de congé.

Pendant un certain temps, j'ai pris le train pour aller au cinéma, ou bien j'allais en ville m'acheter des vêtements ou des chaussures, sans désir particulier.

Cependant, quoi que je fasse, je me sentais mal dans ma peau. Les cinémas du dimanche qui sentaient le pop-corn, l'air gorgé de lumière des grands magasins les soirs d'été, l'agitation froide près des caisses des grandes librairies climatisées, tout cela était trop lourd pour moi. J'avais l'impression que je n'arrivais pas à respirer normalement.

J'ai essayé aussi de partir seule en voyage pendant le week-end. J'ai acheté un livre intitulé *Les mains dans les poches, partez à la découverte des auberges thermales autour de la capitale*, et j'ai essayé plusieurs endroits dont le guide vantait l'absence de tout règlement contraignant.

Les auberges maintenant ne sont plus comme avant, on a cessé de s'étonner qu'une femme voyage seule. On vous conduit en vitesse à votre chambre, on vous indique en vitesse où se trouvent la salle à manger et la salle de bains, on vous signale en vitesse l'heure du check-out.

Que pouvais-je faire ? Moi aussi, vite vite je prenais mon bain, vite vite je prenais mon dîner, et une fois que j'avais de nouveau vite vite pris un bain, je n'avais plus rien à faire. Alors vite

vite, je me couchais, le lendemain je me hâtais de quitter l'hôtel, et voilà, ça y est, tout était fini.

Moi qui jusqu'à présent étais censée mener une agréable vie de femme seule, qu'est-ce qui m'arrivait ?

Je me suis vite lassée des petits voyages « mains dans les poches », mais je ne pouvais pas pour autant reprendre mes promenades au crépuscule le long de la rivière, je restais donc enfermée chez moi, allongée par terre, et je réfléchissais.

Est-ce que vraiment je menais jusqu'ici une vie « agréable » de célibataire ?

Plaisant. Pénible. Agréable. Doux. Amer. Acide. Titillant. Irritant. Froid. Chaud. Tiède.

Mais enfin, comment ai-je vécu jusqu'à ce jour ? Je n'y suis plus.

A force de réfléchir, le sommeil m'envahit. Comme je suis allongée, mes paupières s'alourdissent tout de suite.

Appuyée contre un coussin plié en deux, je me laisse aller sans résistance au sommeil. Je sens passer sur moi un vent tiède qui traverse les moustiquaires. Le chant des cigales me parvient, lointain.

Mais au fait, pourquoi est-ce que j'évite le maître ? Dans une demi-conscience, cette pensée me traverse comme un rêve, une idée confuse, comme celles qui vous frôlent à l'entrée du sommeil. Dans mon rêve, je suis en train de marcher

241

sur une route poudreuse. Tout en cherchant à me rappeler où j'ai laissé le maître, le chant des cigales m'accompagne le long de la route blanche.

Je n'arrive pas à retrouver le maître.

Mais oui, j'y suis ! Je me rappelle que j'ai décidé de le mettre dans une boîte. Je l'ai rangé dans la grande boîte en bois de paulownia qui se trouve tout au fond du placard, soigneusement enveloppé dans une housse de soie.

Il m'est devenu impossible de l'en sortir. Le placard est bien trop profond. Il fait si frais dans la housse de soie que le maître souhaite y rester pour toujours. Il fait si sombre dans la boîte que le maître souhaite y somnoler vaguement pour toujours.

Je continue d'avancer sur la route blanche sans me retourner, en pensant au maître qui a gardé les yeux ouverts, allongé dans la boîte. Les cigales déversent au-dessus de ma tête leur chant strident.

J'ai revu Kojima Takashi pour la première fois depuis longtemps. Il m'a expliqué qu'il était parti en mission pendant un mois, en me tendant un paquet, un cadeau pour toi, c'était un lourd casse-noix en métal.

« Où es-tu allé ? ai-je demandé, tout en ouvrant et refermant le casse-noix.

— En Amérique, un peu partout dans l'ouest, a-t-il répondu.

— Un peu partout ? » J'ai ri. A son tour, il a ri.

« Dans des petites villes, dont le nom ne te dirait sûrement rien, ma petite Tsukiko ! »

J'ai fait semblant de ne pas remarquer qu'il m'avait appelé sa petite Tsukiko.

« Quel genre de travail es-tu allé faire dans ces villes dont je ne connais même pas le nom ?

— Eh bien, des choses et d'autres. »

Ses bras sont bronzés.

« Tu t'es brûlé au soleil de l'Amérique ! » ai-je dit. Il a hoché la tête.

« Mais à bien y penser, le soleil de l'Amérique, ça n'existe pas, le soleil du Japon non plus ! Puisque le soleil est unique ! »

Tout en continuant à tripoter le casse-noix, *clic clac*, je considérais d'un air distrait les bras de Kojima Takashi. Entraînée par les mots *il n'y a qu'un soleil*, j'ai failli me laisser aller à des idées sentimentales. Mais je me suis reprise.

« Eh bien, moi…

— Oui ?

— J'ai passé tout l'été à flâner.

— Flâner ?

— Oui, un peu partout, les mains dans les poches… »

Quel luxe, je t'envie ! La réaction de Kojima était nette. A mon tour, sans hésitation, eh oui, quel luxe !

Le casse-noix luit d'un éclat discret sous l'éclairage tamisé du Bar Maeda. Kojima et

moi avons bu chacun deux bourbons addition-
nés de soda. Nous avons réglé l'addition et
remonté l'escalier. Sur la dernière marche,
nous nous sommes serré légèrement la main
comme de parfaits étrangers. Puis, comme des
étrangers, nous nous sommes effleuré les
lèvres.

« Je ne sais pas, mais tu as l'air complètement
absente ! a dit Kojima.

— Pardi, c'est que j'ai vécu tout ce temps les
mains dans les poches ! ai-je répondu, mais
Kojima a secoué la tête.

— Qu'est-ce que tu veux dire, ma petite
Tsukiko ?

— En plus, petite, ce n'est pas tout à fait mon
genre !

— Je ne suis pas de ton avis, moi, tu sais !

— Et moi, je ne suis pas du tien non plus,
figure-toi ! ai-je rétorqué, et Kojima a ri, avant
d'ajouter :

— L'été touche à sa fin.

— Oui, l'été est fini. »

Puis, encore une fois, nous nous sommes
serré la main comme des étrangers, et nous
sommes partis chacun de notre côté.

« Tsukiko ! Ça fait longtemps ! » m'a dit
Satoru pour m'accueillir.

Il était plus de dix heures. Bientôt l'heure de
la dernière commande chez Satoru. Deux mois

avaient passé depuis que j'avais franchi le seuil du troquet pour la dernière fois.

C'était au retour d'une soirée donnée à l'occasion du départ à la retraite de mon chef de bureau. J'avais bu plus que d'habitude. Je me sentais sûre de moi. Après tout, cela faisait deux mois, je n'avais plus rien à craindre, voilà ce que me disait mon esprit troublé par l'alcool.

« C'est vrai, ça fait longtemps ! » Ma voix m'a semblé plus haute que d'ordinaire.

« Qu'est-ce que vous voulez prendre ? a demandé Satoru en levant la tête de sa planche à découper.

— Un flacon de saké froid, et des haricots en branches.

— Bien, bien », et Satoru a de nouveau penché la tête sur sa planche.

Au comptoir, il n'y avait aucun client. Installé à une table, un couple, plus loin un autre couple, qui se faisaient face tranquillement.

J'ai aspiré à petites gorgées le saké froid. Satoru restait silencieux. La radio diffusait les résultats des matchs de base-ball.

« Les Giants ont eu le dessus ! » a murmuré Satoru. Il a l'air de parler pour lui-même. Moi, j'ai regardé autour de moi. Quelques parapluies, probablement oubliés par des clients, occupent un coin. Depuis plusieurs jours, il n'a pas plu une goutte.

Cricri. Une voix discrète est montée jusqu'à moi. J'ai d'abord pensé que cela venait de la radio qui diffusait le base-ball, mais non, c'était un insecte. Pendant quelques instants, le chant se fait entendre, *cricri*, puis s'arrête, reprend de nouveau.

Quand Satoru m'a tendu les haricots tout frais ébouillantés, j'ai dit : « Il y a un insecte qui chante… » Satoru m'a répondu :

« Ça doit être un grillon. Depuis ce matin, il y en a un.

— Quelque part dans la boutique ?

— Oui, je crois qu'il y en a un, probablement dans une conduite d'eau, ou quelque chose comme ça… »

Comme pour cautionner Satoru, on a entendu de nouveau *cricri.*

« Au fait, le maître disait qu'il avait pris froid… Ce n'est pas grave au moins ?

— Quoi ?

— La semaine dernière, il est venu en début de soirée, il toussait comme un perdu, depuis il ne s'est pas montré… a dit Satoru tout en tapant sur sa planche à découper.

— Il n'est pas revenu une seule fois ? » ai-je demandé. Ma voix était désagréablement haut perchée. Il me semblait entendre parler une inconnue.

« Non, pas une seule fois. »

Le grillon poursuit son chant discret. *Cricri.* J'entendais les battements de mon cœur qui frappaient mon poignet. Immobile, j'ai écouté le bourdonnement de mon sang à l'intérieur de mon corps, mon pouls s'accélérait de plus en plus.

« Ça m'inquiète un peu… » a dit Satoru, en me jetant un regard furtif. Je n'ai rien répondu, j'étais muette.

Le grillon chante. *Cricri*. Puis il s'arrête. Mon cœur bat toujours à grands coups, résonnant violemment dans tout mon corps.

Satoru n'arrête pas de faire retentir le bois de sa planche. *Toc toc*. Le grillon s'est remis à chanter.

J'ai frappé quelques coups hésitants à la porte du maître.

Pendant plus de dix minutes, j'avais fait les cent pas devant sa porte, avant de me résoudre à frapper.

J'ai voulu appuyer sur le bouton de la sonnette, mais mon doigt était figé, comme pris dans la glace. Ensuite, j'ai essayé de jeter un coup d'œil de la véranda en passant par le jardin, mais les volets étaient hermétiquement clos.

J'ai tendu l'oreille à travers les volets, il n'y avait aucun bruit. J'ai fait le tour de la maison, et j'ai remarqué une faible lumière dans la cuisine, ce qui m'a un tout petit peu rassurée.

J'ai appelé le maître à travers la porte, sans obtenir de réponse, bien sûr. Comment pourrait-il émettre une réponse audible, s'il a une extinction de voix ?

J'ai appelé plusieurs fois, mais ma voix est absorbée par les ténèbres. Je me suis donc résolue à frapper.

J'ai entendu des bruits de pas dans le couloir.

« Qui est là ? a demandé une voix enrouée.

— C'est moi.

— Moi ? Ce n'est pas une réponse, Tsukiko !

— Vous savez bien que c'est moi ! »

Tandis que nous nous chamaillons, la porte s'est ouverte avec un léger grincement. Le maître se tient debout dans l'entrée, il porte un pantalon de pyjama à rayures et un tee-shirt sur lequel est écrit I LOVE NY.

« Qu'est-ce qui vous arrive ? demande le maître très calmement.

— Eh bien…

— Une femme ne doit pas venir en pleine nuit rendre visite à un homme ! »

C'est bien lui, toujours le même. Dès que je l'ai vu, j'ai senti toute force m'abandonner.

« Ça vous va bien de dire ça, vous qui m'invitez à m'enivrer en votre compagnie !

— Je tiens à vous dire qu'aujourd'hui, je ne suis pas du tout ivre, figurez-vous ! »

Il me parle exactement comme si nous venions de nous quitter tout à l'heure. Les deux mois que j'ai passés à essayer de m'éloigner de lui ne sont plus qu'un souvenir. Ou plutôt, c'est comme s'ils n'avaient jamais existé.

« Satoru m'a dit que vous étiez malade…

— En effet, j'avais pris froid, mais comme vous pouvez le constater, je me porte tout à fait bien.

— Qu'est-ce qui vous a pris de mettre un tee-shirt comme ça ?

— C'est à mon petit-fils, il ne le met plus. »

Le maître et moi, nous nous sommes regardés droit dans les yeux. Il n'est pas rasé. On remarque les poils blancs, une barbe malsaine.

« Cela me fait penser, Tsukiko, qu'il y a long-temps qu'on ne s'est pas vus ! »

Il a plissé les yeux. Comme il ne détourne pas son regard, je ne peux pas non plus le détourner. Il a souri. A mon tour, sans la moindre arrière-pensée, je lui ai rendu son sourire.

« …

— Qu'est-ce qu'il y a, Tsukiko ?

— Vous allez vraiment bien ?

— Vous avez cru que j'étais mort ?

— Oui, j'y ai pensé, un peu. »

Le maître a éclaté de rire. Moi aussi, j'ai ri. Mais le rire s'est éteint de lui-même. Je vous en supplie, ne prononcez pas ce mot ! Mourir ! C'est ce que j'aurais voulu lui dire. Mais savez-vous, Tsukiko, tous les hommes meurent. En plus, quand on arrive à mon âge, la probabilité est infiniment plus élevée que pour quelqu'un comme vous! C'est dans l'ordre des choses. Je croyais l'entendre.

A tout instant, la mort flotte autour de nous.

Entrez un moment, a proposé le maître. Je vais vous faire une tasse de thé. Et il me précède. Il y a aussi écrit I LOVE NY dans le dos. *I love New York*. Tout en lisant l'inscription, je me suis déchaussée.

A ce que je vois, vous mettez des pyjamas! Moi qui imaginais que vous portiez un *yukata* pour dormir! Je l'ai suivi dans le couloir en murmurant, et il s'est retourné. Tsukiko, ne critiquez pas ma façon de m'habiller, je vous prie. J'ai dit oui d'une petite voix, et le maître a simplement répondu, bien.

L'intérieur de la maison était humide, on sentait qu'elle n'avait pas été aérée. Dans la pièce du fond, de huit tatamis, un futon était déplié. Sans se presser, le maître a préparé le thé, sans se presser, il m'a servie. Moi, j'ai mis un temps très long pour déguster ma tasse de thé.

Plusieurs fois, j'ai voulu me mettre à parler. A chaque fois, le maître m'encourageait par un oui interrogatif. Qu'est-ce qu'il y a? A chaque fois, je restais incapable de répondre, pourtant cela ne m'empêchait pas de commencer par « Vous… » Je n'étais capable que de ça.

Après avoir fini mon thé, j'ai déclaré que je m'en allais.

« Prenez bien soin de votre santé ! » ai-je dit dans l'entrée, en m'inclinant très poliment.

« Tsukiko ! » Cette fois, c'était le maître qui avait commencé.

« Oui ? » ai-je dit en relevant la tête et en le regardant sans ciller. Les joues étaient creuses, les cheveux en désordre. Les yeux seuls, brillaient.

« Faites bien attention sur le chemin du retour ! a-t-il finalement dit après un moment de silence.

— Voyons, ne vous en faites pas, je vous assure ! » ai-je répondu en m'amusant à me frapper la poitrine, ce geste qu'on fait quand on tient à prouver à son interlocuteur qu'il peut vous faire confiance.

Après avoir empêché le maître de me reconduire jusqu'à la rue, j'ai refermé la porte d'entrée. Au ciel, un croissant de lune. Dans le jardin, une multitude d'insectes lançaient leurs cris. *Rrii rrii chii chii.*

Je ne sais plus où j'en suis.

J'ai murmuré ces mots pour moi-même, puis j'ai laissé derrière moi la maison du maître.

A présent, plus rien n'a d'importance. Ce qu'on appelle l'amour, la tendresse, je ne sais quoi. Ça m'est bien égal !

C'était vrai, cela avait fini de m'intéresser. Du moment que le maître allait bien, je me moquais de tout le reste.

N'en parlons plus. Je ne veux plus rien espérer de lui. La tête pleine de ces pensées, j'ai marché sur le chemin qui longe la rivière. La rivière coulait paisiblement. Elle se dirigeait vers la mer. Le maître était-il maintenant enfoui dans son futon, avec son pantalon de pyjama rayé et son tee-shirt? Est-ce qu'il avait bien tout fermé à clé? Est-ce qu'il avait éteint la lumière de la cuisine? Le gaz était-il bien fermé?

Comme dans un soupir, j'ai murmuré son nom…

De la rivière monte la fraîcheur nocturne qui annonce l'automne. Bonne nuit, faites de beaux rêves. Le tee-shirt I LOVE NY vous allait plutôt bien, vous savez! Quand vous serez rétabli, nous irons boire ensemble, vous voulez bien? C'est déjà l'automne, nous irons boire chez Satoru et nous accompagnerons le saké de quelque chose de chaud, c'est d'accord?

Tournée vers le maître qui se trouvait à présent éloigné de moi de quelques centaines de mètres, j'ai continué de lui parler, sans pouvoir m'arrêter. Tout en marchant doucement le long de la rivière, comme si je m'adressais à la lune, je lui ai parlé, sans fin.

Au parc

Il m'a donné un rendez-vous. Le maître m'a donné un rendez-vous.

Déjà ce mot de « rendez-vous » me plonge dans la confusion, le maître et moi sommes tout de même partis en voyage tous les deux (encore que nous n'ayons rien fait ensemble de ce qu'on entend quand on parle de voyage à deux), d'ailleurs je dis rendez-vous, mais il s'agit d'aller dans un musée voir une exposition de calligraphies anciennes, ça m'a tout l'air de ressembler à un de ces voyages scolaires quand j'étais étudiante, mais enfin, on aura beau dire, c'est un rendez-vous, pas de doute là-dessus.

Il ne s'agit pas d'une invitation lancée dans le feu de l'alcool, un de ces soirs où nous buvions ensemble chez Satoru. Ni d'une proposition de hasard, née d'une rencontre au coin de la rue alors qu'on n'y pensait pas. Apparemment, ce n'est pas non plus une « occasion dont on voudrait faire profiter l'autre » parce qu'on a eu par hasard deux billets d'entrée. C'est tout exprès que le maître a téléphoné chez moi (il connaissait mon numéro, je n'en revenais pas), il n'a pas usé de circonvolutions, il m'a demandé sans préambule si je voulais sortir avec lui, oui, ni plus ni moins il me proposait un rendez-vous. Sa voix, à l'autre bout du fil, m'a semblé résonner avec plus de douceur que d'habitude.

Nous devons nous retrouver samedi, en début d'après-midi. Non pas à la gare à côté de chez nous. Il faut changer deux fois, et après on se retrouve devant la gare près du musée. Le maître m'a plus ou moins expliqué qu'il avait à faire dans la matinée, et qu'il se rendrait à notre rendez-vous directement.

Je l'ai entendu rire au bout du fil : « Comme c'est une immense gare, je m'inquiète un peu à l'idée que vous allez vous perdre, mais enfin…

— Quelle idée ! Je ne suis plus en âge de m'égarer ! » ai-je répondu, mais je n'ai plus rien trouvé à ajouter, et je me suis tue. Alors que c'est si simple de parler avec Kojima Takashi (on se téléphone très souvent, bien plus souvent qu'on ne se voit), je suis toute contractée au téléphone avec le maître. Quand il s'agit de se trouver assis l'un à côté de l'autre à bavarder tout en regardant Satoru s'activer, même s'il y a des moments de silence, je peux attendre à l'infini que la conversation reprenne. Mais au téléphone, le silence devient du silence pur.

Eh bien. Je vous écoute. C'est-à-dire. Tout au long du coup de fil du maître, je n'ai fait que proférer des sons, plus que des mots. Ma voix devenait de plus en plus faible, moi qui étais si heureuse de parler avec lui, j'avais hâte que la conversation prenne fin, je n'avais que cela en tête.

Finalement, le maître a mis un terme en disant, eh bien, Tsukiko, je me réjouis d'avance de ce rendez-vous ! J'ai réussi à proférer un faible « moi aussi ». Samedi, à une heure et demie, juste à la sortie du contrôle. Soyez à l'heure. Pas de changement en cas de pluie. Alors, à samedi. Au revoir.

Quand la communication a été terminée, je me suis laissée glisser à terre. Je n'avais pas lâché le combiné, et j'ai entendu à l'autre bout, faiblement, la sonnerie *occupé*. Un long moment, je n'ai pas bougé.

Le samedi en question, il faisait beau. Et même chaud pour une journée d'automne, le chemisier à manches longues que j'avais mis était un peu épais. L'expérience amère que j'avais faite quand nous étions allés sur l'île m'avait laissé des souvenirs, avec ma robe que j'étrennais, les talons hauts, et cette fois, j'étais bien décidée à porter les mêmes choses que d'habitude. Chemise à manches longues, pantalon de coton, mocassins. Je m'étais bien dit que le maître me dirait tout de suite que j'avais l'air d'un garçon, mais tant pis.

J'avais cessé de me préoccuper des intentions du maître. Sans nous approcher. Sans nous éloigner. Lui, comme un homme bien élevé. Moi, comme une femme de qualité. Une relation sobre. Oui, voilà comme j'avais décidé que nos rapports devaient être. Discrets, fidèles, sans exigence. J'avais beau tenter de me rapprocher de lui, il ne me laissait pas la liberté de le faire. Comme si un mur invisible nous séparait. On croyait au premier abord se trouver en face d'une chose si souple qu'elle était sans prise, mais dès qu'elle était comprimée, elle renvoyait tout, et les choses ne faisaient que rebondir sur elle. Un mur d'air.

Le temps est magnifique. Sur les fils électriques, les sansonnets sont alignés les uns contre les autres. Je croyais que ces oiseaux ne se rassemblaient qu'au crépuscule, mais les fils électriques affichent complet, bien qu'il fasse plein jour. Quel est leur langage ? Ils communiquent entre eux à qui mieux mieux.

« Ils mènent vraiment grand tapage ! » Une voix a brusquement retenti près de moi. C'était le maître. Veste marron foncé. Chemise de coton beige. Pantalon marron clair. Il est toujours habillé avec élégance. Ce n'est pas lui qui irait mettre autour du cou un de ces cordonnets qui prétendent remplacer les cravates, j'en suis sûre.

« On dirait qu'ils sont joyeux ! » ai-je dit, tandis qu'il gardait les yeux levés vers les sansonnets. Puis il m'a regardée, et il a souri.

« Si on y allait ? » J'ai dit oui en baissant la tête. Il n'a fait que dire ces mots tout simples, il a sa voix habituelle, et pourtant je me sens étrangement émue.

C'est lui qui a acheté les tickets d'entrée. J'ai voulu lui tendre un billet, mais il a secoué la tête. Non, non, c'est moi qui vous ai proposé cette sortie ! Et il m'a obligée à ranger mon argent.

Nous avons fait la queue pour entrer à l'intérieur du musée. Il y avait plus de monde que je ne l'avais imaginé. Qu'autant de gens trouvent de l'intérêt à venir voir des calligraphies de l'époque Kamakura ou Heian qu'il était pour ainsi dire impossible de déchiffrer, cela m'étonnait prodigieusement. Le maître quant à lui était planté devant une vitrine, à contempler lettres et kakémonos.

« Tsukiko, voilà une missive bien attendrissante ! » a-t-il dit en pointant le doigt vers ce qui semblait une lettre écrite dans une encre pâle, dont le tracé était extrêmement fluide et élégant. J'étais incapable de déchiffrer quoi que ce soit.

« Vous pouvez lire cette écriture ?

— Eh bien, pour être honnête, je n'y arrive pas vraiment ! » a-t-il répondu en riant, avant d'ajouter : « Mais c'est une écriture magnifique, ça ne fait aucun doute !

— Ah bon ?

— Enfin, Tsukiko, si vous voyez un homme séduisant, même si vous n'échangez aucune parole, je suis certain qu'il vous arrive de vous dire, drôlement bien, celui-là !, non ? L'écriture, c'est exactement la même chose ! »

J'ai acquiescé, pas vraiment convaincue. Lui aussi, se disait-il, drôlement bien, celle-là ! en voyant une femme séduisante ?

Nous avons vu l'exposition qui se tenait dans une salle du premier étage, puis nous sommes redescendus au rez-de-chaussée pour les collections permanentes, tant et si bien que deux heures s'étaient déjà écoulées. Toutes ces calligraphies ne me disaient absolument rien, mais à force d'entendre les réflexions que murmurait le maître, du genre « Quelle belle écriture ! », « Un peu prosaïque », « Ce serait donc ça qu'on qualifie de *yûkon*[1] ? », j'ai fini par m'y intéresser de plus en plus. Un peu comme lorsqu'on évalue en secret les gens qu'on voit passer dans la rue, attablé à une terrasse de café, je me suis amusée à énoncer, au gré de mes impressions, des remarques sur les calligraphies de l'époque Heian ou Kamakura, telles que « Agréable écriture ! », « Nettement moins bon, ça ! », « Cela me rappelle quelqu'un que j'ai fréquenté autrefois, oui, même atmosphère ! »

1. Terme qui sert à qualifier l'excellence d'une calligraphie ou d'un poème.

Le maître et moi nous sommes assis sur un canapé disposé sur le palier entre deux étages. Des personnes défilaient devant nous. Tsukiko, vous ne vous êtes pas ennuyée ? Absolument pas, c'était très intéressant, ai-je répondu tout en suivant des yeux les visiteurs qui passaient devant moi. Je perçois la chaleur de son corps à côté de moi. De nouveau, je me suis sentie gagnée par l'émotion. Même le canapé avec ses ressorts défoncés m'a paru la chose la plus agréable au monde. J'étais heureuse de me trouver ainsi avec le maître. Tout simplement, je me sentais heureuse.

« Qu'avez-vous, Tsukiko ? » m'a-t-il demandé en lançant un regard sur moi.

Tout en marchant à côté de lui, je murmurais pour moi-même « Interdiction absolue d'espérer ! » J'imitais le ton du jeune héros d'une histoire que j'avais lue quand j'étais petite, qui s'intitulait *La salle de classe volante*, « Interdiction absolue de pleurer ».

Je crois bien que c'est la première fois que je marche si près de lui. La plupart du temps, ou bien c'est lui qui me précède, ou bien c'est moi qui finis par le devancer.

Quand quelqu'un avance dans notre direction, nous nous écartons, qui à gauche, qui à droite, pour le laisser passer. Après son passage, nous nous rapprochons de nouveau pour marcher côte à côte.

« Tsukiko, venez donc de mon côté, ne vous éloignez pas ! » C'est après avoir répété le manège plusieurs fois que le maître m'a intimé cet ordre. Pourtant, ça ne m'a pas empêchée de m'éloigner de lui pour aller « de l'autre côté », comme il disait. Il m'était tout à fait impossible de réduire la distance entre lui et moi.

« Cessez donc de marcher comme un balancier, gauche droite, gauche droite ! » a-t-il fini par dire en me retenant par le bras alors que je m'apprêtais de nouveau à passer « de l'autre côté ». Il m'a tirée avec force. Son geste n'était pas très violent, mais comme je voulais m'écarter de lui, j'ai vraiment eu l'impression qu'il m'attirait à lui.

Sans lâcher mon bras, il a dit : « Restons côte à côte ! » J'ai baissé la tête et j'ai dit oui. J'étais mille fois plus tendue que quand j'avais eu mon premier rendez-vous avec un garçon. Le maître a gardé mon bras et il continue d'avancer. Les feuilles des arbres qui bordent la rue ont commencé à prendre une légère teinte automnale. C'est comme si j'avais été arrêtée ! Tout en me faisant ce genre de réflexion, j'avançais aux côtés du maître.

Le musée est situé dans un grand parc. En allant vers la gauche, on trouve le musée, à droite, c'est le jardin zoologique. Les rayons du soleil déclinant se reflétaient sur les épaules du maître. Des enfants lançaient par terre du pop-corn. A peine l'avaient-ils répandu qu'une nuée de pigeons s'est abattue d'un même mouvement. Les enfants ont crié de surprise. Les pigeons voulaient aussi picorer le pop-corn qu'ils avaient dans la main, et ils tournaient autour d'eux en battant des ailes. Les enfants se sont immobilisés en pleurnichant.

Le maître a dit sans s'émouvoir : « Ces pigeons sont bien volontaires ! Vous voulez vous asseoir par ici ? » Lui-même a pris place sur un banc. A mon tour, je me suis assise, une seconde après le maître. Cette fois, les rayons du soleil couchant ont éclairé mes épaules.

« Je me demande si cet enfant va finir par pleurer... a dit le maître en tendant le buste vers le petit groupe avec une expression pleine d'intérêt.

— J'ai l'impression qu'il ne pleurera pas.

— Je ne suis pas de votre avis, parce que les garçons sont souvent pleurards !

— Ce n'est pas le contraire ?

— Pas du tout, les garçons sont infiniment plus pleurnicheurs que les filles.

— Vous aussi, quand vous étiez petit garçon, vous étiez pleurnicheur ?

— Je le suis toujours, vous savez ! »

Comme pour lui donner raison, l'enfant s'est mis à pleurer. Il faut dire qu'un pigeon avait fini par se poser sur son crâne. La mère l'a pris dans ses bras en riant.

« Tsukiko ! » Le maître s'était de nouveau tourné vers moi. Moi, du coup, je ne pouvais plus me tourner vers lui.

« Je vous suis reconnaissant de m'avoir accompagné l'autre jour sur l'île. » J'ai répondu par un murmure. Je n'avais pas envie de me souvenir de l'île. Les mots « Interdiction absolue d'espérer » retentissaient dans ma tête depuis ce voyage.

« Vous savez, moi, depuis toujours, je suis un lambin…

— Un lambin ?

— Ce n'est pas ce qu'on dit des enfants qui ont des réactions et des réflexes lents ? »

Il ne m'apparaissait absolument pas comme un lent. Je le voyais comme un homme résolu, vif, le dos bien droit, au propre comme au figuré.

« Non, j'ai peut-être l'air comme ça, mais je suis du genre apathique, je vous assure ! »

L'enfant qui s'était fait picorer les cheveux par le pigeon, maintenant qu'il était dans les bras de sa mère, s'était remis à donner du pop-corn aux oiseaux.

« Comme si de rien n'était ! Quelle insouciance !

— Les enfants sont généralement comme ça.

— C'est vrai. Moi aussi, je suis du genre à ne pas m'en faire, je crois ! »

Lambin et sans rancune. Mais enfin, qu'est-ce qu'il se préparait à dire ? J'ai lancé un regard furtif dans sa direction, il se tenait comme d'habitude bien droit et continuait d'observer l'enfant.

« Sur l'île, j'étais encore hésitant… »

Les pigeons de nouveau picoraient l'enfant. La mère a grondé son fils. Les oiseaux cherchaient à se poser sur la mère aussi. L'enfant dans ses bras, elle a fait un mouvement pour s'écarter des pigeons qui tournoyaient autour d'elle. Mais comme l'enfant continuait de lancer du pop-corn, les pigeons les ont suivis. C'était comme si la mère et l'enfant avançaient en déroulant à leurs pieds ce long tapis que tissaient les oiseaux.

« Tsukiko, combien de temps ai-je encore à vivre, selon vous ? » Il m'a brusquement posé cette question. Je l'ai regardé dans les yeux. Son regard est tranquille.

« Longtemps, très longtemps ! » J'ai presque crié. De surprise, un jeune couple assis sur le banc voisin s'est tourné vers nous. Quelques pigeons se sont envolés.

« Je ne crois pas qu'il en aille ainsi.

— Mais si, à l'infini ! »

Il a pris ma main. Sa paume sèche s'est refermée sur la mienne, l'enveloppant.

« Vous ne pouvez pas accepter un bonheur qui n'est pas pour toujours ? »

J'ai ouvert la bouche à moitié. Le maître se traite lui-même de lent, mais c'est plutôt moi qui le suis. Alors qu'il s'agit d'une question capitale, ma bouche n'est capable que de s'ouvrir à moitié pour une réponse mitigée. Pauvre bouche, si impuissante.

Sans que je m'en aperçoive, la mère et l'enfant avaient disparu. Le soleil était sur le point de se coucher. Insensiblement, l'obscurité étendait sa présence.

« Tsukiko ! » En même temps, le maître a enfoncé l'extrémité de son index dans ma bouche que je n'avais pas refermée. Stupéfaite, ma réaction a été de la fermer. Avant que son doigt se trouve emprisonné au milieu de mes dents, le maître l'a retiré vivement.

« Qu'est-ce qui vous prend ? » De nouveau, j'ai crié. Le maître a eu un petit rire.

« Vous aviez l'air tellement égarée !

— Mais enfin, je réfléchissais sérieusement à vos paroles !

— Je vous demande pardon. » En même temps, il m'a serrée contre lui.

Il m'a semblé alors que le temps s'arrêtait.

J'ai murmuré son nom. Tsukiko ! a-t-il murmuré à son tour.

J'ai enfoui mon visage dans sa poitrine et j'ai dit : « Même si vous deviez mourir à l'instant même, j'accepte. Je me résigne à tout !

— Pas question que je meure tout de suite ! » a-t-il répondu en me gardant serrée contre lui. Sa voix est étranglée. C'est la voix qu'il avait quand je l'ai entendu au téléphone. Une voix voilée, une voix tendre.

« J'ai joué sur les mots !

— Jouer sur les mots… Vous avez trouvé l'expression juste !

— Je vous remercie. »

Enlacés, nous n'en continuons pas moins à échanger des politesses.

Les pigeons s'envolaient les uns après les autres vers les endroits boisés du parc. Une bande de corbeaux tournoyait juste au-dessus. Leurs croassements retentissaient dans l'air du soir. L'obscurité s'épaississait. Du jeune couple assis sur le banc voisin on ne distinguait plus que les vagues contours.

« Tsukiko… » a dit le maître en se redressant. A mon tour, je me suis assise, le dos bien droit.

« S'il en est ainsi…

— Oui ? »

Pendant un moment, le maître est resté silencieux. Dans l'ombre, je ne distinguais pas son visage. Notre banc était le plus éloigné des réverbères. Le maître a respiré profondément plusieurs fois.

« S'il en est ainsi…

— Oui ?

— Puis-je vous demander de… d'accepter de me fréquenter sur la base de… d'une relation amoureuse ? »

Pardon ? Je lui ai renvoyé la question. Qu'est-ce que vous voulez dire par là ? J'aime autant vous dire que moi, depuis tout à l'heure, j'ai tout à fait l'impression que nous sommes amoureux l'un de l'autre !

Oublieuse de ma réserve, oublieuse de tout, j'ai tout dit d'un trait. Que je l'aimais depuis longtemps déjà, il devait bien s'en douter, non ? Que signifie votre « sur la base de », cette expression bizarre ?

Sur une branche près de nous, un corbeau a lancé un puissant croassement. Surprise, je me suis levée d'un bond. Le corbeau y est allé d'un second *croa croa*. Le maître a souri. En même temps, sa paume s'est de nouveau refermée sur la mienne.

Je me suis agrippée à lui. J'ai passé autour de ses épaules mon bras libre, et je me suis pressée contre lui. J'ai respiré l'odeur qui se dégageait de sa veste près de la poitrine, une légère odeur de naphtaline.

« Tsukiko, je me sens tout gêné, si vous restez ainsi contre moi !

— C'est bien vous qui m'avez serrée tout à l'heure !

— De ma vie, je n'ai autant fait preuve de courage !

— Peut-être, mais votre geste révélait une certaine habitude !

— N'oubliez tout de même pas que j'ai fait autrefois l'expérience du mariage !

— Alors, je ne vois pas pourquoi vous vous sentiriez gêné que nous soyons serrés l'un contre l'autre !

— C'est que je suis un être humain !

— Il fait sombre, on ne peut pas nous voir.

— Si, on nous voit !

— Non, on ne nous voit pas ! »

Enfouie contre la poitrine du maître, j'ai pleuré un peu. Je parlais d'une voix enfantine, pressant mon visage dans sa veste, pour qu'il ne voie pas mes larmes, pour qu'il ne remarque pas ma voix tremblante.

Tout doucement, il a caressé mes cheveux.

Sur la base de. Oui, oui, tout ce que vous voulez. J'ai continué à balbutier comme un enfant gâté. Sur la base de. Bien sûr, j'accepte de vous fréquenter. Ma voix chevrotante n'en finissait pas de répéter les mêmes mots.

Comme je suis content ! Tsukiko, vraiment, vous êtes une gentille fille ! Lui aussi, il bredouillait un peu. Comment avez-vous trouvé notre premier rendez-vous en amoureux ?

C'était bien, très bien, ai-je répondu, et il m'a demandé si j'acceptais un autre rendez-vous. L'obscurité nous recouvrait peu à peu de son ombre légère.

Mais oui, naturellement. Et puis, n'est-ce pas, c'est sur la base de.

Alors, où irons-nous la prochaine fois ?

A Disneyland, par exemple ? Oui, c'est une bonne idée !

Comment ça, Disney… ?

Mais oui, maître, Disney ! (Il ne prononçait pas comme moi.)

Vous voulez parler de Disneyland, mais c'est que, voyez-vous, moi, les endroits pleins de monde…

Mais j'ai envie d'y aller, absolument !

Dans ces conditions, oui, allons-y, à votre Disney !

Puisque je vous dis que ce n'est pas mon Disney !

Vous êtes terrible, Tsukiko !

L'obscurité nous a enveloppés, et nous avons continué de babiller. Apparemment, corbeaux et pigeons avaient regagné leurs nids. Enlacée dans les bras fermes et nerveux du maître, j'avais envie de rire et de pleurer tout à la fois. Mais je n'ai pas ri, je n'ai pas pleuré non plus. Je suis restée simplement dans ses bras, sans vouloir en bouger, comme si j'avais trouvé ma place définitive.

Je percevais à travers sa veste les battements de son cœur, comme un frôlement. Dans l'obscurité, nous sommes restés assis sans bouger.

La serviette du maître

Pour une fois, j'ai franchi le seuil du troquet de Satoru alors qu'il faisait encore jour.

L'hiver venait à peine de commencer, il n'était pas encore cinq heures. J'avais décidé d'y aller directement, sans repasser au bureau. Je n'avais pas prévu de finir si vite, d'ordinaire, j'aurais fait un tour dans les magasins, mais j'avais envie de proposer au maître de me rejoindre chez Satoru. C'était devenu une habitude depuis que je fréquentais le maître « officiellement » (c'étaient ses propres termes). Et en quoi était-ce différent d'avant, direz-vous. Eh bien, avant, je ne lui téléphonais pas, mais de la même façon, j'arrivais chez Satoru, je commençais à boire tranquillement toute seule pendant qu'il faisait encore jour, et, le cœur battant, je me demandais s'il viendrait ou non. Oui, il me semble que c'est ainsi que les choses se passaient.

Il n'y avait pas de grand changement. J'attendais ou je n'avais pas besoin d'attendre. La différence était là.

« On a beau dire, attendre aussi, c'est rudement dur, non ? » a lancé Satoru de l'autre côté
du comptoir en levant la tête tandis qu'il préparait une assiette de sashimi. Les préparatifs ne
sont pas terminés, a-t-il annoncé en arrosant
devant le magasin, mais il m'a fait entrer, bien
que le *noren* ne soit pas encore suspendu à
l'entrée.

Mettez-vous par ici. J'ouvre dans une demi-
heure à peu près. Il a apporté une bouteille de
bière avec un décapsuleur, un verre, et il a posé
devant moi une assiette avec un peu de miso.
Vous déboucherez vous-même, hein ? Il a commencé à manier avec dextérité son couteau sur la
planche.

« Vous savez, ce n'est pas du tout désagréable
d'attendre !

— Hum, vous en êtes sûre ? »

Le liquide doré a coulé dans ma gorge. Au
bout d'un moment, une légère chaleur envahit le
chemin parcouru par la bière. Je mets un peu de
miso sur ma langue. C'est du miso de blé.

Je passe un coup de fil, dis-je en m'excusant,
je sors mon portable de mon sac et j'appuie sur
le numéro du maître. Après avoir hésité un
moment pour décider si j'allais l'appeler chez
lui ou sur son téléphone portable, j'ai finalement
choisi le portable.

La sonnerie a retenti six fois avant qu'il ne
réponde. Je dis répondre, mais il garde le silence.

Pendant dix secondes environ, il est resté muet. Le maître déteste les portables, il dit qu'il y a un décalage bizarre avant que la voix ne parvienne à l'oreille.

« Je ne suis pas contre le téléphone mobile en tant que tel. Quant à regarder quelqu'un en train de parler tout seul et tout haut devant tout le monde, c'est vraiment très intéressant !

— Ha.

— Mais de là à accepter d'utiliser cet engin, c'est plus délicat. »

C'est la conversation que nous avons échangée quand j'ai voulu le convaincre d'avoir un portable.

Avant il aurait sûrement refusé, mais j'ai montré tant d'insistance qu'il a fini par se rendre. Cela me rappelle un garçon que j'ai fréquenté autrefois et qui, chaque fois que nous étions d'un avis différent, s'opposait d'emblée et de façon absolue à ce que je voulais ; le maître n'a pas du tout cette attitude. Est-ce cela qu'on appelle la douceur ? Il me semblait que la douceur du maître venait d'un profond désir de se montrer impartial et juste. Cette gentillesse ne s'adressait pas à moi en particulier, elle découlait d'une attitude « pédagogique » qui lui faisait écouter mon avis sans idée préconçue. C'était incomparablement plus agréable que d'être traitée avec une gentillesse ordinaire.

C'était pour moi une découverte. Je me serais sentie mal à l'aise d'être traitée avec gentillesse sans raison. Mais il en allait tout autrement si c'était par souci d'équité. Je me sentais allègre.

« Cela évite de se faire du souci en cas de problème », avais-je invoqué comme raison. J'avais à peine terminé ma phrase que j'ai remarqué les yeux ronds du maître.

« Qu'entendez-vous par problème ? m'a-t-il demandé.

— Mais… un problème !

— Et moi, je vous demande quel genre de problème !

— Eh bien, par exemple, quand on a les bras chargés de paquets, il se met tout d'un coup à pleuvoir, il n'y a pas de cabine à proximité, on se mettrait bien à l'abri sous l'auvent d'un magasin, mais tout le monde a eu la même idée, et on doit absolument rentrer chez soi… que sais-je encore !

— Voyez-vous, Tsukiko, dans un cas pareil, je rentre chez moi, même trempé jusqu'aux os.

— Et si vous avez avec vous des choses qu'il ne faut en aucun cas mouiller ? Je ne sais pas, par exemple, une bombe qui explose sous l'effet de l'eau !

— Il ne m'arrive jamais d'acheter ce genre d'objets.

— Eh bien alors, il y a peut-être un individu dangereux devant le magasin !

— La possibilité de se trouver aux côtés d'un homme dangereux existe à chance égale quand je marche avec vous dans la rue.

— Vous pouvez glisser en traversant la rue mouillée !

— Il me semble que c'est vous qui devez tomber souvent, car moi, je suis rompu aux sentiers de montagne, alors, un passage clouté glissant ! »

Il avait réponse à tout. J'ai fini par garder le silence, la tête baissée.

Au bout d'un moment, le maître s'est doucement tourné vers moi.

« C'est entendu, j'aurai un téléphone mobile. »

Vrai ? Tout en me caressant la tête, le maître a ajouté : « C'est qu'avec les personnes âgées, on ne sait pas ce qui peut arriver ! »

— Mais vous n'êtes pas vieux ! ai-je protesté, contradictoire.

— En revanche…

— Quoi donc ?

— En revanche, Tsukiko, cessez de dire un portable, s'il vous plaît. Dites un téléphone mobile, je vous prie. N'y manquez pas. Ce mot de portable m'est infiniment désagréable. »

C'est comme ça que le maître en est venu à posséder un téléphone mobile. De temps en temps, je l'appelais, pour qu'il s'entraîne. En fin de compte, il ne m'a appelée qu'une seule fois.

« C'est vous ?

— Oui.

— Je suis chez Satoru.

— Oui. »

Il répondait toujours par oui. J'en avais l'habitude, mais avec le portable, cette sorte de tic n'a
fait que s'accentuer.

« Vous venez ?

— Oui.

— Comme je suis contente !

— C'est pareil pour moi. »

Enfin, autre chose que oui était sorti ! Satoru
avait un petit sourire. Toujours le sourire aux
lèvres, Satoru est sorti de son comptoir et il est
allé accrocher le *noren*. Moi, j'ai pris du miso
avec mon doigt, et je l'ai léché. L'odeur
d'*oden* qu'on remettait à chauffer a empli la
boutique.

Une chose me préoccupait.

Le maître et moi n'avions pas encore fait la
connaissance intime de nos corps. Je m'en
inquiétais un peu, comme on s'inquiète des
troubles liés à la ménopause dont on voit se pro-
filer l'ombre, ou comme à chaque examen médi-
cal de routine, on s'inquiète de la présence de
G.P.T. dans le foie. Le fonctionnement de l'orga-
nisme humain s'articule sur le cerveau, les
organes et le sexe tout à la fois. J'ai été amenée
à le comprendre à travers cette clé que me donnait l'âge du maître.

La question me préoccupait, c'est vrai, mais je ne ressentais pas la moindre insatisfaction. Après tout, on peut fort bien se passer de faire l'amour. Toutefois, le maître semblait avoir une manière différente de considérer la chose.

Il m'avait dit une fois : « Tsukiko, je suis un peu inquiet. »

C'était un jour où nous mangions chez lui un plat de tôfu chaud. En pleine journée, le maître avait préparé pour moi ce pâté de soja, dans un faitout en aluminium, et nous étions en train de boire de la bière. Il avait mis des morceaux de colin et de jeunes feuilles de chrysanthème. Le tôfu que je préparais, moi, c'était seulement du tôfu, et rien d'autre. C'est comme ça que des inconnus finissent par devenir intimes, pensais-je dans mon esprit rendu légèrement flou par l'alcool diurne.

« Inquiet ?

— Eh bien, c'est que depuis de longues années, je dois vous avouer que je n'ai approché aucune femme. »

C'était donc ça ! J'ai ouvert la bouche à moitié. Tout en prenant garde qu'il n'y enfonce pas son doigt. Depuis qu'il avait eu ce geste, il avait tendance à récidiver dès qu'il me voyait bouche bée, si je ne me montrais pas vigilante. C'est qu'il aimait se montrer espiègle, plus que je ne l'aurais cru.

J'ai répondu avec précipitation : « Ne vous inquiétez pas pour ça, je peux très bien m'en passer !

— Etes-vous bien certaine qu'on peut faire fi de ça, comme vous dites ? » Il avait un air très sérieux. Moi, tout en me calant sur mon coussin, j'ai répondu : « Ce n'est pas ce que je voulais dire ! » Il a gravement hoché la tête.

« Tsukiko, le contact de deux corps est une chose extrêmement importante. Quel que soit l'âge, c'est primordial ! » Il avait un ton vibrant, comme autrefois lorsqu'il déclamait du haut de son estrade le *Dit des Heike*.

« Quant à savoir si j'en serais capable, rien ne me permet de l'affirmer. Si je tente l'expérience à un moment où je manque d'assurance et que je ne me montre pas à la hauteur, je perdrai tout courage, vous comprenez. C'est ce que je crains par-dessus tout, voilà ce qui m'empêche de seulement essayer ! » Le *Dit des Heike* se poursuivait.

« Je ne sais comment m'excuser auprès de vous. » Tout en mettant un point final au *Dit des Heike*, il s'est incliné profondément devant moi. Moi aussi, raide sur mon coussin, j'ai baissé la tête.

Vous savez, j'y mettrai du mien. Tentons l'expérience, si vous voulez bien, d'ici quelque temps. Voilà ce que j'aurais voulu dire, mais la mine tendue et fermée du maître m'en a empêchée. Je n'ai pas pu dire non plus, vous n'avez pas à vous en préoccuper. Je n'ai pas pu dire non plus, continuons à nous embrasser, à nous presser la main, cela me suffit.

Comme j'étais incapable de parler, j'ai rempli son verre de bière. Il l'a avalé d'un trait, moi de mon côté j'ai picoré un morceau de colin. Des feuilles de chrysanthème étaient plaquées dessus, et cela faisait un joli contraste de couleurs, le vert des feuilles et le blanc de la chair du poisson. Je l'ai fait remarquer au maître, qui a répondu par un sourire. Puis il m'a plusieurs fois caressé la tête, comme il le fait toujours.

Nous avons eu des rendez-vous dans des endroits extrêmement variés. Ce mot de « rendez-vous amoureux » faisait partie de son vocabulaire de prédilection.

« Donnons-nous rendez-vous ! » disait-il. Alors que nous sommes presque voisins, il désigne toujours la gare la plus proche de l'endroit où nous devons aller. Lorsque, parfois, il arrive que nous tombions l'un sur l'autre dans le train, il murmure, tiens, Tsukiko, quelle surprise !

Là où nous allions le plus souvent, c'était au musée océanographique. Le maître aimait les poissons.

Il m'a expliqué un jour : « Quand j'étais petit, c'était un plaisir pour moi d'observer une planche d'illustrations représentant des poissons.

« — Vous dites petit, mais vous aviez quel âge à peu près ?

— Je devais être à l'école primaire, je pense. »

Je me suis fait montrer des photos de lui quand il était au C.P. Parmi les photos jaunies, il y en avait une qui le montrait coiffé d'une casquette de marin, les yeux plissés comme si la lumière l'aveuglait.

« Vous étiez mignon ! » ai-je dit, et il a hoché la tête. Puis il a dit : « Mais vous, Tsukiko, vous êtes toujours mignonne ! »

Nous nous sommes immobilisés devant les thons et d'autres énormes poissons de la même famille. Alors, tandis que je regardais les poissons qui tournoyaient plus loin, j'ai eu comme l'impression qu'il nous était déjà arrivé, il y a très longtemps, de rester ainsi tous les deux, immobiles l'un contre l'autre.

Je l'ai appelé à voix basse.

« Qu'est-ce qu'il y a, Tsukiko ?

— Je vous aime.

— Moi aussi, je vous aime, Tsukiko. »

Nous étions graves. Nous l'étions toujours. Même quand nous plaisantions. D'ailleurs, les thons aussi étaient graves. Les bonites aussi étaient graves. En fait, tous les êtres vivants, pour la plupart, sont sérieux et appliqués.

Bien sûr, nous sommes allés aussi à Disneyland. Tout en regardant la parade nocturne, le maître avait les yeux embués. Moi aussi, j'ai pleuré. Il est presque certain que nous avons versé quelques larmes chacun de notre côté en pensant à des choses différentes.

« Les lumières dans la nuit ont quelque chose de triste, vraiment, a dit le maître en se mouchant dans un grand mouchoir blanc.

— A ce que je vois, il vous arrive aussi de pleurer ?

— Les statistiques prouvent que les personnes âgées ont la glande lacrymale qui a tendance à se relâcher.

— Je vous aime. »

Il n'a rien répondu. Il ne quittait pas des yeux le défilé. Je voyais son profil éclairé par les reflets, ses yeux enfoncés. Je l'ai appelé, mais il n'a pas répondu. Je l'ai appelé de nouveau. Sans succès. J'ai passé mon bras sous le sien et j'ai serré bien fort. A mon tour, j'ai gardé les yeux fixés sur Mickey, sur les sept nains, sur la Belle au bois dormant.

« C'était une sortie délicieuse, ai-je dit.

— Pour moi également, a-t-il répondu enfin.

— Vous m'inviterez encore, n'est-ce pas ?

— Oui, je vous le promets.

— S'il vous plaît !

— Oui ?

— S'il vous plaît !

— Oui ?

— Surtout ne vous en allez pas !

— Je ne m'en irai pas. »

La musique qui accompagnait le défilé s'est encore amplifiée, les nains qui sautillaient dans le cortège faisaient des bonds prodigieux. Bientôt ils se sont éloignés, nous laissant à la nuit. Mickey, qui fermait la parade, s'en est allé lentement lui aussi en se dandinant. Le maître et moi, nous nous sommes donné la main dans l'obscurité. Et nos corps ont été parcourus d'un léger frisson.

Une fois, une seule fois, le maître s'est servi de son portable pour m'appeler, je crois bien que je vais le raconter.

Comme sa voix était enrouée, j'ai tout de suite compris qu'il appelait de son téléphone portable.

« Tsukiko !

— Oui.

— Tsukiko !

— Oui ? »

Cette fois, c'était moi qui ne faisais que dire oui.

« Vous êtes vraiment une gentille fille !

— Hein ? »

Après avoir prononcé ces quelques mots, il a brusquement coupé. J'ai rappelé immédiatement, mais ça n'a pas répondu. Environ deux heures plus tard, je l'ai appelé chez lui, cette fois il a répondu d'une voix calme qui se dominait.

« Qu'est-ce qui s'est passé tout à l'heure ?

— Non, enfin, c'est-à-dire, l'envie m'a pris tout d'un coup…

— D'où téléphoniez-vous ?

— A côté du marchand de légumes près de la gare. »

Le marchand de légumes ? Comment ça ? Il m'a alors précisé qu'il avait acheté un radis noir et des épinards.

Comme j'éclatais de rire, lui aussi s'est mis à rire au bout du fil.

Soudain, il m'a dit :

« Tsukiko, venez immédiatement !

— Vous voulez dire chez vous ?

— Oui, chez moi. »

Sans attendre, j'ai fourré dans un sac une brosse, un pyjama et une lotion pour le visage et je me suis hâtée en direction de sa maison. Debout devant la porte, il m'attendait. La main dans la main, nous nous sommes dirigés vers la pièce de huit tatamis, et il a étendu un futon. Moi, je l'ai recouvert d'un drap. Nous avons préparé la couche avec autant de rapidité que les employés saisonniers dans les auberges.

Sans un mot, nous sommes tombés sur le lit. Pour la première fois, j'ai reçu l'étreinte du maître, puissante et fougueuse.

J'ai passé la nuit chez lui, et j'ai dormi à ses côtés. Au matin, quand j'ai ouvert les volets, les fruits des aucubas étincelaient, baignés par la lumière matinale. Des grives à longue queue venaient picorer les fruits. Le jardin entier retentissait de leurs piaillements. Epaule contre épaule, le maître et moi sommes restés à regarder les oiseaux. Tsukiko est vraiment une gentille fille. Oui, il a dit ça. Je vous aime. En guise de réponse. Les oiseaux continuaient de pousser leurs cris.

Il me semble que cette histoire remonte à un lointain passé. Les jours que j'ai passés avec le maître, d'une douceur vaporeuse, denses en même temps, ont coulé. Deux années, à partir de nos retrouvailles. Trois années, après le début de nos relations « officielles », comme il disait. Voilà le temps que j'ai vécu avec lui. Ce n'est pas beaucoup.

Et pourtant, il n'y a pas si longtemps, c'était encore hier.

La serviette du maître, c'est moi qui l'ai à présent. Le maître en avait fait la demande par écrit.

Son fils ne lui ressemble pas beaucoup. Sans un mot, il s'est incliné devant moi, et la façon qu'il a eue de se pencher m'a rappelé le maître, un court instant.

« Je suis le fils de Matsumoto Harutsuna. Je sais que vous avez pris soin de mon père, de son vivant… » a-t-il dit en faisant un profond salut.

En entendant prononcer ce nom, Harutsuna, le prénom du maître, mes yeux se sont remplis de larmes. Moi qui n'avais presque pas pleuré jusque-là. Matsumoto Harutsuna. C'était comme un inconnu, et j'ai pu pleurer. Bien avant que je m'habitue à lui, il s'en était allé, je venais de le comprendre. Irrévocablement. Alors seulement, mes larmes ont pu couler.

La serviette du maître, je l'ai posée à côté de ma coiffeuse. De temps en temps, je vais chez Satoru. Pas aussi souvent qu'avant. Satoru ne dit rien. Il s'active de manière toujours aussi affairée. Comme il fait chaud, je m'assoupis quelquefois. Il ne faut pas se tenir mal au restaurant, dirait le maître.

J'ai tant voyagé que ma robe est tout usée
Ma robe que le froid pénètre
Loin si loin de chez moi
    le ciel est clair ce soir mais
Comme mon cœur souffre

C'est un poème d'Irako Seihaku, que le maître m'a appris un jour. Seule dans ma chambre, je m'essaie à lire à haute voix les poèmes qu'il m'a appris, d'autres aussi. Depuis que vous n'êtes plus là, j'ai étudié un peu, vous savez ! Je m'amuse à murmurer ainsi.

Quand je prononce son nom, il arrive parfois que j'entende une voix du côté du plafond qui m'appelle, Tsukiko ! Pour la préparation du tôfu chaud, j'ai subi l'influence du maître, je mets toujours des morceaux de colin et des feuilles de chrysanthème. Je voudrais tant vous revoir. Vous voulez bien, n'est-ce pas ? D'en haut, le maître me répond. Oui, un jour, sans faute.

Les soirs comme ça, j'ouvre la serviette du maître, et je regarde à l'intérieur. La serviette est vide, et ce vide se déploie. Oui, un vide infini s'étend sur toutes choses, le vide de l'absence.

Achevé d'imprimé en Espagne par

CPi
BLACK PRINT

Décembre 2018

Dépôt légal : février 2005